# PÊCHEUR D'ISLANDE

# PIERRE LOTI

# PÊCHEUR D'ISLANDE

*Préface, notes, bibliographie
et chronologie par*
Daniel LEUWERS

GF Flammarion

ISBN : 2-08-070898-8

# PRÉFACE

*Pêcheur d'Islande* est le roman où Pierre Loti
échappe enfin à l'exotisme dont son œuvre porte si
fortement la marque. Certes, Pierre Loti n'aura de
cesse de choyer les charmes de l'étranger, la fièvre du
départ, le goût de l'ailleurs ; il éprouvera toujours le
désir de se marier ici ou là, mais moins avec les
femmes qu'il rencontre qu'avec les pays dont elles
sont l'incarnation — de la Turquie adorée au Japon
courtisé. Or, voici que, dans *Pêcheur d'Islande*,
l'ailleurs perd de son aura chatoyante pour se rétrécir
à la mer d'Islande dévoreuse d'hommes et pour-
voyeuse de veuves. L'Islande, où s'acheminent chaque
année des pêcheurs bretons, n'a rien d'un but idéalisé,
puisqu'elle figure le lieu d'où l'on a envie de revenir
tant il est chargé de l'obsédante menace du non-
retour. L'Islande est un cimetière marin menaçant où
la mer dévore les corps que le destin lui délègue.
L'homme qui prend la route de l'Islande ne va nullement à la rencontre d'une captivante Aziyadé ou
d'une jolie Madame Chrysanthème ; au contraire, il
prend souvent soin de se marier avant de partir, afin
que subsiste sur la terre bretonne l'empreinte de son
souvenir : une veuve et, éventuellement, des orphe-
lins. Étrange et cruel masochisme collectif.

On pourra toujours avancer que les voyages exotiques de Loti figuraient pour lui une façon de lutter

contre l'angoisse de la mort et d'alimenter une
vibrante flamme d'espoir, avant l'échec pressenti.
Cette flamme avait au moins le mérite d'exister, de
dresser haut le désir de l'ailleurs, de le métamorphoser
en monument onirique appelé à maîtriser tous les courants hostiles. Dans *Pêcheur d'Islande,* la plume de
Pierre Loti épouse, au contraire, ces courants hostiles,
les accompagne jusqu'à s'y perdre et s'y abîmer. La
noyade est consentie, voire désirée. Ce faisant, Loti
s'engage dans un roman d'une tonalité tout à fait singulière où il rompt avec certain penchant romantique
dont la littérature française est volontiers tributaire,
pour se risquer à embrasser d'emblée les illusions perdues. Dans *Pêcheur d'Islande,* les dés sont, en effet,
jetés sans détour. Les illusions sont perdues d'avance,
et tout est prêt pour un cérémonial funèbre qui
s'assume comme tel. Trop longtemps réduit à l'image
d'un explorateur de l'ailleurs et d'un apôtre de l'éternelle partance, Pierre Loti n'est plus ici que le peintre
du départ impossible, le poète du non-lieu de la mort.
Loti s'aventure désormais sur les mers de l'irrémé-
diable accepté, et s'abandonne à une bleuité cruelle
que berce « un grand calme d'eaux mortes ». Les héros
de son roman sont lentement et inexorablement
aspirés par un grand trou noir où l'œil, soudain,
s'abolit.

Gaud, la jeune femme de ce Yann [1] dont le bateau
ne reviendra jamais d'Islande, reste des heures à
contempler la mer. Elle est là, « regardant toujours,
jusqu'à la nuit tombée, jusqu'à ne plus rien voir ».

---

1. Yann semble devoir beaucoup au personnage bien réel de
Guillaume Floury, homme de haute stature, né en août 1858 à
Pors-Even, près de Paimpol. Loti s'est lié à lui à bord de *La Sur-
veillante* où ils embarquèrent tous deux en juillet 1882, pour une
mission de surveillance des côtes bretonnes. Guillaume Floury —
qui a inspiré à Pierre Loti de fort beaux dessins, reproduits dans
Genet et Hervé, *Pierre Loti, l'enchanteur,* p. 201 — participera à de
nombreuses expéditions islandaises, mais, à la différence de Yann
dans le roman, il n'y trouvera pas la mort. Celle-ci ne le happera
qu'en 1899, d'une façon tout accidentelle, lors d'une banale
manœuvre dans la baie de Paimpol.

L'œil s'aveugle, il s'obscurcit comme pour mieux se mettre à l'écoute de la mort — conformément à la belle formule de Paul Claudel : « L'œil écoute. » Romancier-poète, Pierre Loti nous inviterait presque à ne plus voir, à abandonner la superficialité de la seule rétine pour éprouver et épouser la musique lancinante de la mort, le mouvement enivrant de la mer, « va-et-vient éternel, sans aucun souci des morts ». Le souci des morts n'a pas lieu d'être, dès lors que la mort figure la limite au-delà de laquelle l'homme erre sans illusions. La mort est inscrite au sein même de la vie, qui se délite en ses eaux mortes. L'auteur de *Pêcheur d'Islande* s'impose comme l'un des tout premiers romanciers à oser se défaire de l'histoire linéaire pour consentir au va-et-vient d'une plume qui ne peut avancer (progresser !), qui ne le veut même pas, et qui, de la sorte, explore le peu qui s'offre à elle, fait de la pauvreté consentie son bien essentiel, et épouse d'un même trait la course au vide de la vie. C'est le ventre de la mer qui est ici sondé — lieu de l'origine et non-lieu de la mort. Modernité de *Pêcheur d'Islande*.


Notre appétit référentiel fait pourtant bon ménage avec cette œuvre que sous-tend une sorte de dessaisissement généralisé. Un petit voyage sur les lieux qui, directement ou indirectement, ont inspiré l'œuvre de Pierre Loti ne manque pas d'être instructif. En effet, pour qui visite Rochefort-sur-Mer (où Loti a grandi), le tracé strict de longues rues à angle droit voulu par Vauban témoigne d'une majestueuse et austère élégance, tout autant qu'il désigne les rêts d'un emprisonnement, d'un empiègement dans l'ordre militaire et moral. Natif de cette ville de garnison, Julien Viaud — qui ne prendra que plus tard le pseudonyme de Pierre Loti — rêve très tôt de s'en évader, de prendre le large, comme y invitent le grand port et son imposant arsenal. La maison parentale est petite, étouffante, dans cette rue Saint-Pierre dessinée au cordeau. De plus, la famille est empêtrée dans d'obscurs problèmes financiers, — le père de Julien, receveur municipal, finissant même par être accusé de vol et mis quelques jours sous les verrous. Honte. La ville austère perd ainsi jusqu'à son apparence de respectabilité, pour se parer des couleurs de l'opprobre et faire tache.

Julien Viaud, dont les résultats au collège de Rochefort sont loin d'être brillants et que ses professeurs jugent médiocre en « narration française », gagne Paris à seize ans. À dix-sept ans, il est reçu à l'École navale, ce qui lui permet de passer, l'année suivante, de bateau-école en bateau-école, le long des côtes françaises, tout en se préparant au grand départ dont l'heure sonne enfin le 5 octobre 1869. Le voici donc, pour de longs mois, lancé sur les mers, loin de Rochefort, loin de sa famille (son père meurt à ce moment-là) et loin de la France qui s'apprête à entrer en guerre avec la Prusse. Il est sur les flots, dans l'entre-deux, à la rencontre de... L'existence s'ouvre, et s'offre. Loti est enfin lui-même — en voyage.

À son retour à Rochefort, l'écrivain fait sauter les plafonds bas de la demeure familiale et donne à la Salle Renaissance qu'il aménage une hauteur de cathédrale, comme pour retrouver la voûte naturelle du ciel dont il est désormais, sur les mers, le familier. Le voyage le propulse vers sa seconde naissance, la seule, la vraie, celle de la mer qui fraie enfin son chemin à l'écriture. Mais l'aventure maritime recèle bien d'autres secrets, et répond à de lointains appels. Pierre Loti ne peut, en effet, se détacher de l'image, enfouie au plus profond de sa souffrance, de son frère Gustave, son aîné de douze ans, disparu dans cette mer aimantée qu'il chérissait. Chirurgien de marine, Gustave avait, dès 1858, à l'âge de vingt ans, embarqué pour Tahiti — et son jeune frère n'avait pu qu'envier l'aîné qui traversait les mers, tandis que lui, était condamné à arpenter les sinistres rues de Rochefort. Mais les rêves de Pierre Loti vont bientôt se briser sur les récifs de la cruauté. Le 10 mars 1865,

Gustave meurt, en effet, à l'âge de vingt-sept ans, sur le navire qui le ramène, malade, d'une expédition à Saigon. Son corps est jeté à la mer, dans le golfe du Bengale, comme le veulent les règles sanitaires. On ne soulignera jamais assez l'effet ravageur et traumatisant que produira cette mort sur le jeune Loti dont tout l'imaginaire magnifiait la mer.

Lorsque le futur auteur de *Pêcheur d'Islande* décide, à son tour, d'être marin, ce n'est évidemment pas sans songer à ce frère disparu. Loti a comme la charge obscure de remplacer ce frère, de le « réparer », de faire en sorte que la mer retrouve, au travers d'une expérience autre et nouvelle, un visage plus souriant, celui de la vie, de la vie quand même. Loti ne tarde pas à rejoindre Tahiti — destination première de son frère — où il fait, en 1872, une halte de deux mois. C'est à ce moment précis qu'il adopte définitivement le pseudonyme de Loti, soucieux d'effacer le nom de Viaud trop chargé de malédiction familiale. À Tahiti, il signe même *Le Mariage de Loti,* comme pour mieux affirmer que « je est un autre » — épousant, dans la même foulée, l'aventure, l'exotisme et tous les ingrédients qu'il croit susceptibles de faire reculer la mort ou, tout au moins, de poser la lancinante question : quand cesserons-nous d'enterrer les morts ? Loti qui séjourne ensuite à Dakar, à Saint-Louis-du-Sénégal, puis à Constantinople, est un homme couvert de femmes — seule attitude capable d'étouffer les miasmes de la mort et de construire progressivement, conquête après conquête, l'antre de ses rêves — qu'il s'agisse de la maison familiale en perpétuelle transformation ou de son œuvre de romancier-voyageur nourrie de fantasmes répétitifs.

Loti sait pourtant — et d'emblée — que tout départ risque de déboucher sur l'illusoire, le fugitif et les « tristes tropiques » dont parlera Claude Lévi-Strauss. Le Sénégal a laissé à Pierre Loti une impression générale de tristesse dont témoignent toutes ses descriptions. Heureusement, la Turquie ne perdra jamais pour lui de son aura première et ne cessera de res-

plendir comme le but suprême. Stamboul demeurera
le lieu préservé de son idéalisation forcenée. Quant
aux autres lieux, Loti y percevra toujours, à un
moment ou à un autre, une part d'ombre. Mais le
pire, ce sont les lieux d'où l'on part et où l'on risque
de ne plus jamais revenir. La Bretagne va être, pour le
romancier de *Pêcheur d'Islande,* la parfaite incarnation
de ces espaces sans issue, enfermés dans les
brouillards de l'impossible.

C'est en 1878 que Pierre Loti découvre la Bretagne,
en compagnie de Pierre Le Cor, marin en poste à
Lorient. Curieusement, cette région devient alors le
creuset d'un exotisme inversé, dans la mesure où elle
ne symbolise plus le lieu de départ des sécurisants
vaisseaux de la marine marchande, mais celui des
pêcheurs livrés à la mer sur de fragiles goélettes, et
dont la disparition est plus qu'une probabilité. Si
Paimpol a été longtemps célèbre pour le commerce de
la morue pêchée à Terre-Neuve, la découverte, dans
les années 1850, de nouveaux lieux de pêche a
contribué à relancer l'activité commerciale du port, en
constant déclin depuis le début du dix-neuvième
siècle. Terre-Neuve est alors délaissée pour les mers
d'Islande, beaucoup plus poissonneuses. Les pêcheurs
de Paimpol partent chaque année pour ces mers lointaines et en reviennent quelques mois plus tard — ou
n'en reviennent jamais.

Pierre Loti ne peut s'empêcher de faire ici l'associa-
tion avec son frère Gustave happé, lui aussi, par la
mer. Si l'arpenteur des côtes du Sénégal, de la Turquie et du Japon se sent soudain le désir d'écrire sur la
Bretagne — ou, plus exactement, à partir de la Bretagne —, c'est parce qu'il sait confusément que son
nouveau roman lui permettra de composer une sorte
de « tombeau » de son frère disparu, de lui adresser
une secrète épitaphe, de lui dresser un cénotaphe inattendu. Ce goût pour la prose sépulcrale n'est pas nouveau chez Loti, si l'on prête attention à la tonalité de
ses premiers romans et à la destinée de leurs héroïnes :
de Aziyadé, la jeune Turque aimée et morte — aimée

à la mort et morte d'amour — à cette Madame Chrysanthème au nom tellement significatif. Mais, avec *Pêcheur d'Islande*, Pierre Loti va au-delà. Il accompagne son frère dans la gratuité tragique de sa disparition, au lieu de profiter des faveurs d'un désir érotique où les foudres de Thanatos frappent après avoir assouvi les plaisirs de l'Éros. Loti s'assimile si profondément à son frère que, outre son voyage de reconnaissance à Tahiti, il accomplira en avril 1885 une mission dans la sinistre Saigon d'où, vingt ans plus tôt, un navire ramenait Gustave Viaud malade et promis déjà à la mort. Tous les voyages de Loti sur les lieux de l'inoubliable tragédie semblent autoriser l'auteur à poursuivre son œuvre, en assurent la relance, même si la mort en demeure le but — et même précisément parce que la mort en figure le but.

Le rapport de Pierre Loti à son frère a beau être puissant, d'autres éléments entrent en jeu dans la dynamique qui le pousse à écrire *Pêcheur d'Islande*. La topologie de ce roman n'obéit plus à l'habituel mouvement de balancier entre Rochefort l'austère et certains espaces exotiques, mais répond à une valorisation de la Bretagne au détriment de l'Islande, horizon mortifère. Alors que, dans la plupart de ses romans, Loti joue d'un contraste qui privilégie amplement l'exotisme, dans *Pêcheur d'Islande*, il montre la contamination du lieu de départ idéalisé par un ailleurs maléfique.

La Bretagne, ce fut d'abord, pour Loti, Brest et son bateau-école, le *Borda*, où le nouvel élève de l'École navale s'installa en 1867. Il ressentit alors une « oppression, une tristesse extrêmes », s'il faut en croire son *Roman d'un enfant*. Ses liens avec la Bretagne deviennent plus positifs à la faveur de son amitié avec le quartier-maître Pierre Le Cor, aux alentours de 1878. Pierre Le Cor servira de modèle à Yves Kermadec, le héros de *Mon frère Yves*, publié en 1883, où Loti tente une assimilation positive avec son frère

défunt. Car Pierre Le Cor est l'ami qui rend enfin à
Loti la Bretagne pleine d'agrément, au point que le
romancier finit par y goûter les délices — empoisonnées, il est vrai — d'une passion amoureuse. L'affaire
se noue en octobre 1882. Dans son *Journal intime,*
Loti évoque « une jeune fille de pêcheurs, brunie à la
mer, de cette race des Côtes-du-Nord qu'on appelle
les "Islandais". Elle était remarquablement belle,
d'une beauté antique, sculpturale, avec de grands
yeux dédaigneux ». Le désir, si lié à l'exotisme chez
Loti, pourrait-il donc naître en France même — et
dans la région de Paimpol soudain métamorphosée en
pôle d'attraction inattendu ? Toujours est-il que Loti
cherche à séduire la belle, qui lui résiste... Il n'hésite
alors pas à la demander en mariage, mais se heurte à
un nouveau refus : l'aimée entend rester fidèle à son
fiancé, un « Islandais » — autrement dit, un de ces
marins qui participent chaque année aux campagnes
de pêche en mer d'Islande.

L'idée d'épouser une jeune fille bretonne, saine et
vigoureuse, tenaille, dès lors, Loti qui voit là l'occasion unique de se régénérer, de préserver sa jeunesse.
Loti aime l'amour, il le veut, et il le rêve. Il refuse, de
toute façon, de suivre l'exemple d'un de ses autres
amis, Émile Plouvillon, dont le renoncement aux joies
de l'amour s'assimile pour lui à « une tranquillité de
mort sur la vie » (lettre du 4 février 1883). La mort du
désir, ce serait, pour Loti, une forme de suicide « au
moyen d'une boulette de mort-aux-rats ». Le romancier entend vivre pleinement, et, s'il se rend en juin
1884 à l'île d'Oléron avec le bien trop sage Émile
Plouvillon, c'est afin de se donner le plaisir de danser
avec de « belles filles brunes, d'une beauté chaste et
vigoureuse ». Il se persuade qu'il finirait volontiers sa
vie avec l'une d'entre elles : « Elle me donnerait des
enfants robustes qui sentiraient le goémon »...

La pensée de Pierre Loti demeure cependant fidèlement attachée à la « fille du pêcheur islandais », qu'il
s'arrange pour revoir encore en octobre 1884, bien
qu'elle soit désormais mariée. Un rendez-vous est fixé

à Saint-Brieuc en novembre, mais la belle ne s'y rend pas, par peur de « l'Islandais ». Le 9 décembre, Loti se lamente d'avoir reçu d'elle une « pauvre petite lettre de remords, presque froide et dure ». Rentré à Paris, Loti sent pourtant que son esprit demeure obsessionnellement attiré par la « chaumière » où vit la bien-aimée, « en Bretagne, dans un sombre village de pêcheurs ». Le 10 décembre, le romancier décide de rejoindre Guingamp où il passe de longues heures sombrement mélancoliques. Il s'attarde maladivement dans l'église où il attendit autrefois la réponse négative de l'aimée. Puis il se rend à Paimpol où il revit en pensée « la journée terrible, où tout s'est brisé » — ajoutant : « Je l'aime de cette manière désespérée qui est ma manière à moi, je l'aime plus que jamais. » Ô charmes empoisonnés de l'amour — charmes si propices à l'inspiration et à l'écriture...

Pris dans les remous de courants antagonistes, Pierre Loti accomplit alors une sorte de descente aux enfers. Ainsi, le 12 décembre 1884, visite-t-il « la chapelle des naufragés de Pors-Even » :

« Dans cette chapelle, écrit-il, il y a les noms de tous les parents disparus dans les naufrages d'Islande. » On peut légitimement se demander si, lors de sa visite, Pierre Loti n'a pas obéi à une secrète et insidieuse aspiration : voir l'heureux « Islandais » rejoindre un jour prochain la chapelle des naufragés ? Mais, en supprimant magiquement celui qui contrarie son désir d'union amoureuse, en se défaisant donc d'une sorte de père castrateur, Loti ne se voue-t-il pas lui-même à l'aiguillon de la culpabilité mortifère ? De cette double postulation où l'inconscient se trouve violenté, le roman porte incontestablement l'empreinte déceptive.

Pierre Loti travaille à *Pêcheur d'Islande* dès le mois d'octobre 1884, et l'on peut légitimement se demander si ses « pèlerinages » bretons n'ont pas eu pour but d'attiser sa souffrance pour en tirer les sons les plus aigus. Le livre dépasse rapidement le stade de la « courte nouvelle » initialement envisagée à l'intention de son amie et protectrice Juliette Adam. Le

projet prend de l'ampleur, et Loti confie, dans son
*Journal* en date du 4 janvier 1885, qu'il « veille tard »
pour avancer son texte, où il tente de conjurer « les
souvenirs de Bretagne » qui le « font encore bien souffrir, la nuit surtout ». Il vient alors d'être désigné pour
partir au Tonkin, alors qu'il aspirait à être affecté sur
un navire croisant en mer d'Islande. Juliette Adam se
dit prête à l'aider pour qu'il obtienne l'Islande, mais,
finalement, Loti y renonce. Il fait accroire — honneur
militaire oblige — qu'il n'est nullement question pour
lui de se soustraire aux risques de la campagne guer-
rière qui est menée au Tonkin. L'explication véritable
est tout autre : l'Islande ne représentait pour le
romancier qu'une motivation littéraire. « C'était surtout, confiera-t-il à Juliette Adam en mars 1885, pour
faire un beau livre que je désirais aller là-bas ; mais
j'espère beaucoup réussir sans cela. Je laisserais plutôt
l'Islande à l'état de vision lointaine et étrange pour
m'appesantir plus sur la mer et le pays breton. » Pierre
Loti sent donc d'emblée que l'Islande peut — et
doit — demeurer une nébuleuse, afin que l'essentiel
du livre se passe en Bretagne même, sur ses côtes
maudites qui regardent la mer désespérément vide. La
mythique Islande s'y efface tout en effaçant ceux qui
tentent de la rejoindre (on sait aujourd'hui qu'entre
1852 et 1935, près de 3 000 marins de Paimpol ont
péri dans les naufrages islandais).

Le 20 mars 1885, Loti quitte donc la France pour le
Tonkin. La traversée jusqu'en Extrême-Orient dure
quarante-cinq jours. Parvenu à destination, l'auteur se
plaint de ne pouvoir travailler comme il le désirerait,
en raison du « calme un peu triste de l'exil » et surtout
parce que l'afflige le spectacle incessant de « petits
enterrements » consécutifs à la dysenterie et au choléra
qui déciment les marins. « J'espère bien que cette
mort-là me sera épargnée ; c'est la seule qui me
répugne, la plus misérable de toutes », confie-t-il à
Juliette Adam en mai 1885. Loti ne veut surtout pas
mourir comme son frère, loin de la terre maternelle.
Le 30 juin, il écrit qu'il n'arrive toujours pas à tra-

vailler « facilement ». « Le grand soleil sinistre me gêne
et m'efface tout. J'ai un moyen qui me réussit, c'est de
me remettre à penser fixement à elle, à *elle* que j'aime
toujours, qui est du pays de Gaud ; alors je retrouve
assez bien la falaise grise, les vieux arbres tondus, les
toits de mousse et mes pêcheurs, mais c'est aussi un
moyen de s'user et de souffrir. » Afin de faire diversion
à cette souffrance, Pierre Loti profite de l'immobilisa-
tion de son bateau à Nagasaki, entre le 8 juillet et le
12 août 1885, pour s'offrir l'intermède d'un mariage
avec une jeune Japonaise (thème de *Madame Chrysanthème*, roman à venir). Les affres de la création ont
parfois besoin de ces sortes de répit. L'écrivain
cherche alors peut-être à éprouver sa vérité la plus
intime, qui est de savoir si la Bretagne idéalisée peut
aisément être oubliée au profit de l'exotisme resurgi.

Toujours est-il qu'une violente tempête essuyée sur le
bateau qui le ramène bientôt en France précipite le
retour à la réalité et réconcilie Loti avec son roman. Le
romancier est ravi de recevoir « dans les yeux du vent et
de la grosse mer, comme il en faut dans le livre », ainsi
qu'il l'écrit à Juliette Adam le 15 septembre, peu fier de
son simulacre de mariage et travaillant comme un for-
cené afin de faire oublier à son amie son impardonnable
faux-pas japonais. Il effectue alors « un retripotage
énorme » pour donner « plus d'unité » à l'ensemble. Le
15 octobre, lors d'un arrêt à Yokohama, il confie à
Juliette Adam un des secrets de son esthétique :

« Je voudrais arriver à l'extrême poésie dans
l'extrême simplicité. »

Il décide d'abandonner le titre initial de son livre,
« Au large », craignant qu'il ne semble promettre
qu'« une série d'impressions quelconques, comme les
*Propos d'exil*, et non un roman ». Le 23 octobre, il
estime qu'il touche presque au terme : « Le roman est
tout bâti, tout écrit. Il n'y a plus que des descriptions
à arranger, à mettre au point et puis un recopiage
général à faire. »

Mais, rentré en France, Pierre Loti va encore beaucoup travailler à son roman qui s'intitule désormais

*Pêcheur d'Islande.* Il finit par le découper en cinq parties,
conformément à une suggestion de Juliette Adam, qu'il
prend tellement au pied de la lettre qu'il lui demande,
en mars 1886, si elle tient à ce que les parties « soient
égales comme volume ». Pierre Loti se révèle donc
finalement très soucieux d'équilibre dans un livre où il
n'a cessé de jouer dangereusement les funambules entre
le romanesque et l'autobiographique, entre la description qui lui répugne (ainsi confie-t-il à Juliette Adam, le
9 août 1885 : « Cela m'ennuie que vous ayez lu le
commencement et la fin. Tout ce que je vais vous
envoyer maintenant vous aura comme un air de rem-
plissage ») et la visée essentielle du livre, qui s'apparente
à un rapt poétique où il s'agit avant tout de dépasser le
stade premier et mineur de l'impression : « Autrefois,
confie-t-il dans son *Journal* en date de mars 1884,
j'écrivais mes livres au hasard, poussé par je ne sais quel
besoin que j'avais de sténographier mes impressions. »
Loti ne veut plus se contenter de la note brute qui est
l'apanage du carnet de voyages et qui esquive souvent la
confrontation avec le mystère ambiant, les questions
capitales, voire la névrose qui se tapit au fond des mers.
Pierre Loti, soudain, n'est plus l'annotateur exotique
des paysages vus, il devient l'explorateur du va-et-vient
des pulsions enfouies, enfuies — et retrouvées grâce au
harpon d'une écriture qui, obliquement, les saisit et les
immobilise au sein du tournoiement marin qui ne cesse.
La plume de Pierre Loti participe désormais d'un mouvement qu'elle épouse pour mieux l'apprivoiser. Et en
cela réside la force inattendue de *Pêcheur d'Islande.*

   Le roman de Pierre Loti a été d'emblée triomphalement accueilli. En 1886, *Pêcheur d'Islande* s'impose
comme un best-seller et représente un succès sans précédent dans la carrière du romancier. La *Revue bleue* crie
au « chef-d'œuvre ». Jules Lemaitre confie que « les plus
grands chefs-d'œuvre de la littérature ne (l') ont jamais
ému de la sorte ». Seul, Guy de Maupassant éreinte le

roman de Pierre Loti dans le *Gil Blas* du 6 juillet 1886, où il juge les « effets littéraires apparents, trop visible-ment faux » et stigmatise un « attendrissement trop voulu ». Mais cet angle d'attaque témoigne assurément chez Maupassant du refus de reconnaître une écriture qui s'apparente à la sienne propre et qui la concurrence insidieusement, comme l'a très bien relevé Alain Bui-sine qui discerne chez les deux romanciers une manière identique de privilégier les effets d'estompe, ainsi que les procédures de dilution et d'effacement.

*Pêcheur d'Islande,* objet de rééditions multiples au fil des décennies, arrive jusqu'à nous dans un bel état de fraîcheur, et tout empreint de modernité. Si, hier, André Suarès estimait qu'« une page de Loti est une aquarelle qui chante », Julien Green souligne aujourd'hui qu'« il y a derrière ses livres le vide qu'il y a dans le ciel, mais c'est par là qu'il est unique ». Trois raisons imposent surtout *Pêcheur d'Islande* comme un chef-d'œuvre appelé à séduire tout amoureux de la littérature que la modernité n'effarouche pas outre mesure.

Il y a d'abord que Pierre Loti touche à une réalité qu'il a le don de métamorphoser en fantasme. On a certes reproché à Loti son manque de réalisme, son peu de considération pour les conditions matérielles effectives auxquelles étaient soumis les « Islandais » (saleté, maladies). Mais l'essentiel réside pour lui dans le désir d'écrire le poème de la mer, à la façon dont Arthur Rimbaud s'exclame dans *Le Bateau ivre* :

> Et dès lors, je me suis baigné dans le Poème
> De la Mer, infusé d'astres, et lactescent,
> Dévorant les azurs verts ; où, flottaison blême
> Et ravie, un noyé pensif parfois descend.

*Pêcheur d'Islande* charrie toutes les peurs ancestrales du marin qui ne reviendra jamais, du noyé en puis-sance qui s'abîme dans la mer — suprême mise en abîme de la littérature elle-même. Le spectre de Victor Hugo est là, et la tombe insatiable d'*Oceano Nox*, mais plus encore *La Mer* de Jules Michelet que Loti préfacera bientôt, en soulignant l'« universelle menace de mourir » qui l'agite. *Pêcheur d'Islande* est un roman de l'attente — attente de la mort inéluctable —, au même titre que les chefs-d'œuvre de Dino Buzzati (*Le Désert des Tartares*) ou de Julien Gracq (*Le Rivage des Syrtes*). Il est tout dans le suspens, les mouvements annonciateurs, ce que Loti qualifie, au terme de son livre, de « pressigne ». La mort y prend la forme — condensation et déplacement mêlés — du rêve. Elle émet « cette langue incertaine qui se parle dans les rêves, et dont on ne retient au réveil que d'énigmatiques fragments n'ayant plus de sens », ainsi que le souligne l'auteur de *Pêcheur d'Islande*.

D'autre part, le roman de Loti privilégie le point de vue de la femme, de celle qui attend, de cette Gaud dont nous percevons des lambeaux de discours intérieur, tout en ne parvenant pas toujours à distinguer clairement entre la voix du narrateur et celle du personnage. Gaud échappe d'ailleurs à la sacralisation chère au romantisme — qui voulait qu'une femme fût aimée dans la distance, voire dans la mort —, pour s'imposer comme un être de chair et de sensualité, de cette sensualité qui attira tellement Pierre Loti chez son « Islandaise » vainement courtisée. La nuit de noces de *Pêcheur d'Islande* est un splendide morceau de bravoure érotique, au point qu'elle fut édulcorée dans des éditions destinées à la jeunesse... Gaud est le symbole même d'un primitivisme dont l'époque était fort friande. Elle est ainsi à même de laisser transparaître en filigrane les complexités d'un univers en gésine et d'une mer dévorante.

Enfin, Pierre Loti s'impose comme un extraordinaire explorateur du vide. Ce vide ne désigne pas seulement la mort annoncée ou promise, il participe de l'édification fascinante d'« une immense morgue » (l'expression est d'Alain Buisine) où se marient les vents antagonistes du destin. Quand Yann conduit Gaud à la chapelle de la Trinité, il a soudain le sentiment d'« être venu là pour présenter sa femme à la mer », cette rivale qui jouit de la mort même. La mer engloutit le marin, le mange et ne laisse aux hommes que le loisir de compenser la perte par l'inscription cénotaphique. On a alors la sensation que la chair des mots est nouée à son squelette entr'aperçu. Dans la chapelle des naufragés de Pors-Even, il n'y a pas de caveau, mais de simples plaques de bois, couvertes d'un nom. Plus bas, la mer reste étale — entre deux tempêtes. Et Pierre Loti nous montre ce calme, en occultant la tempête, et en ne laissant percer, comme au début de la deuxième partie de son roman, qu'une « fuite sans secousse », « une illusion de légèreté », quelque chose « comme une glissade » telle qu'on peut la vivre dans les « chutes imaginaires des rêves ». Loti égalise cette tempête, comme s'il sentait qu'elle était plus forte d'être assimilée au rien qu'elle promet, et dont elle condense la menace. L'eau tempétueuse fuit « comme tout le reste » et s'évanouit « en avant comme de la fumée, comme rien... » L'impression dominante est d'inertie. Le lecteur a l'illusion d'avoir été précipité au fond de la mer et d'y être comme bercé au fond d'une tombe. Le fascinant réside dans un art de la description figée et aveugle qui, à l'exemple du dernier souffle, se dilue dès lors qu'il se proionge. L'accumulation descriptive, comme exténuée, finit par s'annuler et presque se néantiser. C'est dire que le langage exprime ici la mort même, et la chante. Il nous fait accéder à une blanche indifférenciation qui s'évide, qui évide, qui œuvre et ouvre à l'évidence de la mort.

Daniel LEUWERS.

# PÊCHEUR D'ISLANDE

À Madame Adam [1]
(Juliette Lamber)

*Hommage d'affection filiale.*
Pierre Loti.


1. Juliette Adam (1836-1936) fut une femme longtemps célèbre grâce à son salon où elle recevait hommes politiques et écrivains (parmi eux, Flaubert, Daudet, Goncourt). En 1879, elle fonda et devint la directrice de *La Nouvelle Revue,* pour rivaliser avec la *Revue des Deux Mondes.* Elle contribua ainsi à lancer Pierre Loti, mais aussi Paul Bourget et Jules Vallès. De Loti, elle publia dès 1890 *Le Mariage de Loti* en feuilleton, avant de devenir sa confidente et sa protectrice. En 1924, elle publia les lettres que Loti lui avait adressées entre 1880 et 1922.

Juliette Adam, dont les écrits personnels ont passé à l'oubli, fut très présente dans l'élaboration de *Pêcheur d'Islande* (voir notre Introduction), et Pierre Loti tint à lui dédier l'ouvrage. En juillet 1886, il lui écrivait à ce propos :

« Je suis bien embarrassé. En tête du livre *Pêcheur d'Islande,* faut-il mettre : "À madame Juliette Adam", ou "À madame Juliette Lamber", ou "À madame Edmond Adam", et puis faut-il mettre cela tout sec ou bien ceci, que je trouve d'un banal odieux : "Hommage de respectueuse affection" ? D'un autre côté, mettre quelque chose de plus tendre et de plus vrai, ce serait — qui sait ? — prêter le flanc aux commérages des sots. Reste le mot filial, que je n'ose pas employer non plus devant le public. » Juliette Adam mettra Loti à l'aise et lui soufflera la dédicace définitivement choisie, en optant pour le nom de son mari, Lamber. Juliette Adam avait, comme pseudonyme littéraire, conservé le nom de ses parents.

# PREMIÈRE PARTIE

## I

Ils étaient cinq, aux carrures terribles, accoudés à boire, dans une sorte de logis sombre qui sentait la saumure et la mer. Le gîte, trop bas pour leurs tailles, s'effilait par un bout, comme l'intérieur d'une grande mouette vidée ; il oscillait faiblement, en rendant une plainte monotone, avec une lenteur de sommeil.

Dehors, ce devait être la mer et la nuit, mais on n'en savait trop rien : une seule ouverture coupée dans le plafond était fermée par un couvercle en bois, et c'était une vieille lampe suspendue qui les éclairait en vacillant.

Il y avait du feu dans un fourneau ; leurs vêtements mouillés séchaient, en répandant de la vapeur qui se mêlait aux fumées de leurs pipes de terre.

Leur table massive occupait toute leur demeure ; elle en prenait très exactement la forme, et il restait juste de quoi se couler autour pour s'asseoir sur des caissons étroits scellés aux murailles de chêne. De grosses poutres passaient au-dessus d'eux, presque à toucher leurs têtes ; et, derrière leurs dos, des couchettes qui semblaient creusées dans l'épaisseur de la charpente s'ouvraient comme des niches d'un caveau pour mettre les morts. Toutes ces boiseries étaient

grossières et frustes, imprégnées d'humidité et de sel ;
usées, polies par les frottements de leurs mains.

Ils avaient bu, dans leurs écuelles, du vin et du
cidre, aussi la joie de vivre éclairait leurs figures, qui
étaient franches et braves. Maintenant ils restaient
attablés et devisaient, en breton, sur des questions de
femmes et de mariages.

Contre un panneau du fond, une sainte vierge en
faïence était fixée sur une planchette, à une place d'honneur. Elle était un peu ancienne, la patronne de ces
marins, et peinte avec un art encore naïf. Mais les per-
sonnages en faïence se conservent beaucoup plus longtemps que les vrais hommes ; aussi sa robe rouge et
bleue faisait encore l'effet d'une petite chose très fraîche
au milieu de tous les gris sombres de cette pauvre maison
de bois. Elle avait dû écouter plus d'une ardente prière,
à des heures d'angoisses ; on avait cloué à ses pieds deux
bouquets de fleurs artificielles et un chapelet.

Ces cinq hommes étaient vêtus pareillement, un
épais tricot de laine bleue serrant le torse et s'enfon-
çant dans la ceinture du pantalon ; sur la tête, l'espèce
de casque en toile goudronnée qu'on appelle *suroît* (du
nom de ce vent du sud-ouest qui dans notre hémis-
phère amène les pluies).

Ils étaient d'âges divers. Le *capitaine* pouvait avoir
quarante ans ; trois autres, de vingt-cinq à trente. Le
dernier, qu'ils appelaient Sylvestre ou Lurlu, n'en
avait que dix-sept. Il était déjà un homme, pour la
taille et la force ; une barbe noire, très fine et très
frisée, couvrait ses joues ; seulement il avait gardé ses
yeux d'enfant, d'un gris bleu, qui étaient extrêmement
doux et tout naïfs.

Très près les uns des autres, faute d'espace, ils
paraissaient éprouver un vrai bien-être, ainsi tapis
dans leur gîte obscur.

... Dehors, ce devait être la mer et la nuit, l'infinie
désolation des eaux noires et profondes. Une montre
de cuivre, accrochée au mur, marquait onze heures,
onze heures du soir sans doute ; et, contre le plafond
de bois, on entendait le bruit de la pluie.

Ils traitaient très gaiement entre eux ces questions de mariage, — mais sans rien dire qui fût déshonnête. Non, c'étaient des projets pour ceux qui étaient encore garçons, ou bien des histoires drôles arrivées dans *le pays,* pendant des fêtes de noces. Quelquefois ils lançaient bien, avec un bon rire, une allusion un peu trop franche au plaisir d'aimer. Mais l'amour, comme l'entendent les hommes ainsi trempés, est toujours une chose saine, et dans sa crudité même il demeure presque chaste.

Cependant Sylvestre s'ennuyait, à cause d'un autre appelé Jean (un nom que les Bretons prononcent Yann), qui ne venait pas.

En effet, où était-il donc ce Yann ; toujours à l'ouvrage là-haut ? Pourquoi ne descendait-il pas prendre un peu de sa part de la fête ?

« Tantôt minuit, pourtant », dit le capitaine.

Et, en se redressant debout, il souleva avec sa tête le couvercle de bois, afin d'appeler par là ce Yann. Alors une lueur très étrange tomba d'en haut :

« Yann ! Yann !... Eh ! l'*homme !* »

L'*homme* répondit rudement du dehors.

Et, par ce couvercle un instant entrouvert, cette lueur si pâle qui était entrée ressemblait bien à celle du jour. — « Bientôt minuit... » Cependant c'était bien comme une lueur de soleil, comme une lueur crépusculaire renvoyée de très loin par des miroirs mystérieux.

Le trou refermé, la nuit revint, la petite lampe pendue se remit à briller jaune, et on entendit l'*homme* descendre avec de gros sabots par une échelle de bois.

Il entra, obligé de se courber en deux comme un gros ours, car il était presque un géant. Et d'abord il fit une grimace, en se pinçant le bout du nez à cause de l'odeur âcre de la saumure.

Il dépassait un peu trop les proportions ordinaires des hommes, surtout par sa carrure qui était droite comme une barre ; quand il se présentait de face, les muscles de ses épaules, dessinés sous son tricot bleu, formaient comme deux boules en haut de ses bras. Il avait de grands yeux bruns très mobiles, à l'expression sauvage et superbe.

Sylvestre, passant ses bras autour de ce Yann, l'attira contre lui par tendresse, à la façon des enfants ; il était fiancé à sa sœur et le traitait comme un grand frère. L'autre se laissait caresser avec un air de lion câlin, en répondant par un bon sourire à dents blanches.

Ses dents, qui avaient eu chez lui plus de place pour s'arranger que chez les autres hommes, étaient un peu espacées et semblaient toutes petites. Ses moustaches blondes étaient assez courtes, bien que jamais coupées ; elles étaient frisées très serré en deux petits rouleaux symétriques au-dessus de ses lèvres qui avaient des contours fins et exquis ; et puis elles s'ébouriffaient aux deux bouts, de chaque côté des coins profonds de sa bouche. Le reste de sa barbe était tondu ras, et ses joues colorées avaient gardé un velouté frais, comme celui des fruits que personne n'a touchés.

On remplit de nouveau les verres, quand Yann fut assis, et on appela le mousse pour rebourrer les pipes et les allumer.

Cet allumage était une manière pour lui de fumer un peu. C'était un petit garçon robuste, à la figure ronde, un peu le cousin de tous ces marins qui étaient plus ou moins parents entre eux ; en dehors de son travail assez dur, il était l'enfant gâté du bord. Yann le fit boire dans son verre, et puis on l'envoya se coucher.

Après, on reprit la grande conversation des mariages :

« Et toi, Yann, demanda Sylvestre, quand est-ce ferons-nous tes noces ?

— Tu n'as pas honte, dit le capitaine, un homme si grand comme tu es, à vingt-sept ans, pas marié encore ! Les filles, qu'est-ce qu'elles doivent penser quand elles te voient ? »

Lui répondit, en secouant d'un geste très dédaigneux pour les femmes ses épaules effrayantes :

« Mes noces à moi, je les fais à la nuit ; d'autres fois, je les fais à l'heure ; c'est suivant. »

Il venait de finir ses cinq années de service à l'État, ce Yann. Et c'est là, comme matelot canonnier de la flotte, qu'il avait appris à parler le français et à tenir des propos sceptiques. — Alors, il commença de raconter ses noces dernières qui, paraît-il, avaient duré quinze jours.

· C'était à Nantes, avec une chanteuse. Un soir, revenant de la mer, il était entré un peu gris dans un Alcazar [1]. Il y avait à la porte une femme qui vendait des bouquets énormes au prix d'un louis de vingt francs. Il en avait acheté un, sans trop savoir qu'en faire, et puis, tout de suite en arrivant, il l'avait lancé à tour de bras, *en plein par la figure,* à celle qui chantait sur la scène, — moitié déclaration brusque, moitié ironie pour cette poupée peinte qu'il trouvait par trop rose. La femme était tombée du coup ; après, elle l'avait adoré pendant près de trois semaines.

« Même, dit-il, quand je suis parti, elle m'a fait cadeau de cette montre en or. »

Et, pour la leur faire voir, il la jetait sur la table comme un méprisable joujou.

C'était conté avec des mots rudes et des images à lui. Cependant cette banalité de la vie civilisée détonnait beaucoup au milieu de ces hommes primitifs, avec ces grands silences de la mer qu'on devinait autour d'eux ; avec cette lueur de minuit, entrevue par en haut, qui avait apporté la notion des étés mourants du pôle.

Et puis ces manières de Yann faisaient de la peine à Sylvestre et le surprenaient. Lui était un enfant vierge, élevé dans le respect des sacrements par une vieille grand-mère, veuve d'un pêcheur du village de Ploubazlanec. Tout petit, il allait chaque jour avec elle réciter un chapelet, à genoux sur la tombe de sa mère. De ce cimetière, situé sur la falaise, on voyait au loin les eaux grises de la Manche où son père

1. Nom donné, au XIXᵉ siècle, à des cafés-concerts décorés dans le style mauresque, à la façon de l'Alcazar.

avait disparu autrefois dans un naufrage. — Comme ils
étaient pauvres, sa grand-mère et lui, il avait dû de très
bonne heure naviguer à la pêche, et son enfance s'était
passée au large. Chaque soir il disait encore ses prières
et ses yeux avaient gardé une candeur religieuse. Il était
beau, lui aussi, et, après Yann, le mieux planté du bord.
Sa voix très douce et ses intonations de petit enfant
contrastaient un peu avec sa haute taille et sa barbe
noire ; comme sa croissance s'était faite très vite, il se
sentait presque embarrassé d'être devenu tout d'un
coup si large et si grand. Il comptait se marier bientôt
avec la sœur de Yann, mais jamais il n'avait répondu aux
avances d'aucune fille.

À bord, ils ne possédaient en tout que trois couchettes — une pour deux — et ils y dormaient à tour
de rôle, en se partageant la nuit.

Quand ils eurent fini leur fête — célébrée en l'honneur de l'Assomption de la Vierge leur patronne — il
était un peu plus de minuit. Trois d'entre eux se cou-
lèrent pour dormir dans les petites niches noires qui
ressemblaient à des sépulcres, et les trois autres
remontèrent sur le pont reprendre le grand travail
interrompu de la pêche ; c'était Yann, Sylvestre et un
de leur pays appelé Guillaume.

Dehors il faisait jour, éternellement jour.

Mais c'était une lumière pâle, pâle, qui ne ressemblait à rien ; elle traînait sur les choses comme des
reflets de soleil mort. Autour d'eux, tout de suite commençait un vide immense qui n'était d'aucune couleur, et en dehors des planches de leur navire, tout
semblait diaphane, impalpable, chimérique.

L'œil saisissait à peine ce qui devait être la mer :
d'abord cela prenait l'aspect d'une sorte de miroir
tremblant qui n'aurait aucune image à refléter ; en se
prolongeant, cela paraissait devenir une plaine de
vapeur — et puis, plus rien ; cela n'avait ni horizon ni
contours.

La fraîcheur humide de l'air était plus intense, plus
pénétrante que du vrai froid, et, en respirant, on sentait très fort le goût du sel. Tout était calme et il ne

pleuvait plus ; en haut, des nuages informes et inco- lores semblaient contenir cette lumière latente qui ne s'expliquait pas ; on voyait clair, en ayant cependant conscience de la nuit, et toutes ces pâleurs des choses n'étaient d'aucune nuance pouvant être nommée.

Ces trois hommes qui se tenaient là vivaient depuis leur enfance sur ces mers froides, au milieu de leurs fantasmagories qui sont vagues et troubles comme des visions. Tout cet infini changeant, ils avaient coutume de le voir jouer autour de leur étroite maison de plan- ches, et leurs yeux y étaient habitués autant que ceux des grands oiseaux du large.

Le navire se balançait lentement sur place, en ren- dant toujours sa même plainte, monotone comme une chanson de Bretagne répétée en rêve par un homme endormi. Yann et Sylvestre avaient préparé très vite leurs hameçons et leurs lignes, tandis que l'autre ouvrait un baril de sel et, aiguisant son grand couteau, s'asseyait derrière eux pour attendre.

Ce ne fut pas long. À peine avaient-ils jeté leurs lignes dans cette eau tranquille et froide, ils les rele- vèrent avec des poissons lourds, d'un gris luisant d'acier.

Et toujours, et toujours, les morues vives se faisaient prendre ; c'était rapide et incessant, cette pêche silen- cieuse. L'autre éventrait, avec son grand couteau, aplatissait, salait, comptait, et la saumure qui devait faire leur fortune au retour s'empilait derrière eux, toute ruisselante et fraîche.

Les heures passaient monotones, et dans les grandes régions vides du dehors, lentement la lumière changeait ; elle semblait maintenant plus réelle. Ce qui avait été un crépuscule blême, une espèce de soir d'été hyperborée [1], devenait à présent, sans intermède de nuit, quelque chose comme une aurore, que tous les miroirs de la mer reflétaient en vagues traînées roses...

1. « Hyperborée » signifie « à l'extrême nord » (cf. l'adjectif « hyperboréen »).

« C'est sûr que tu devrais te marier, Yann », dit tout
à coup Sylvestre, avec beaucoup de sérieux cette fois,
en regardant dans l'eau. (Il avait l'air de bien en
connaître quelqu'une en Bretagne qui s'était laissé
prendre aux yeux bruns de son grand frère, mais il se
sentait timide en touchant à ce sujet grave.)

« Moi !... Un de ces jours, oui, je ferai mes noces
— et il souriait, ce Yann, toujours dédaigneux, roulant
ses yeux vifs — mais avec aucune des filles du pays ;
non, moi, ce sera avec la mer, et je vous invite tous, ici
tant que vous êtes, au bal que je donnerai... »

Ils continuèrent de pêcher, car il ne fallait pas
perdre son temps en causeries : on était au milieu
d'une immense peuplade de poissons, d'un *banc*
voyageur, qui, depuis deux jours, ne finissait pas de
passer.

Ils avaient tous veillé la nuit d'avant et attrapé, en
trente heures, plus de mille morues très grosses ; aussi
leurs bras forts étaient las, et ils s'endormaient. Leur
corps veillait seul, et continuait de lui-même sa
manœuvre de pêche, tandis que, par instants, leur
esprit flottait en plein sommeil. Mais cet air du large
qu'ils respiraient était vierge comme aux premiers
jours du monde, et si vivifiant que, malgré leur
fatigue, ils se sentaient la poitrine dilatée et les joues
fraîches.

La lumière matinale, la lumière vraie, avait fini par
venir ; comme au temps de la Genèse, elle s'était
*séparée d'avec les ténèbres* [1] qui semblaient s'être tassées
sur l'horizon, et restaient là en masses très lourdes ; en
y voyant si clair, on s'apercevait bien à présent qu'on
sortait de la nuit — que cette lueur d'avant avait été
vague et étrange comme celle des rêves.

Dans ce ciel très couvert, très épais, il y avait çà et
là des déchirures, comme des percées dans un dôme,
par où arrivaient de grands rayons couleur d'argent
rose.

1. La citation de la Bible à laquelle il est fait référence est la
suivante : « Dieu vit que la lumière était bonne et Dieu sépara la
lumière et les ténèbres » (Genèse, I, 4).

Les nuages inférieurs étaient disposés en une bande d'ombre intense, faisant tout le tour des eaux, emplissant les lointains d'indécision et d'obscurité. Ils donnaient l'illusion d'un espace fermé, d'une limite ; ils étaient comme des rideaux tirés sur l'infini, comme des voiles tendus pour cacher de trop gigantesques mystères qui eussent troublé l'imagination des hommes. Ce matin-là, autour du petit assemblage de planches qui portait Yann et Sylvestre, le monde changeant de dehors avait pris un aspect de recueillement immense ; il s'était arrangé en sanctuaire, et les gerbes de rayons, qui entraient par les traînées de cette voûte de temple, s'allongeaient en reflets sur l'eau immobile comme sur un parvis de marbre. Et puis, peu à peu, on vit s'éclairer très loin une autre chimère : une sorte de découpure rosée très haute, qui était un promontoire de la sombre Islande...

Les noces de Yann avec la mer !... Sylvestre y repensait, tout en continuant de pêcher sans plus oser rien dire. Il s'était senti triste en entendant le sacrement du mariage ainsi tourné en moquerie par son grand frère ; et puis surtout, cela lui avait fait peur, car il était superstitieux.

Depuis si longtemps il y songeait, à ces noces de Yann ! Il avait rêvé qu'elles se feraient avec Gaud Mével — une blonde de Paimpol — et que, lui, aurait la joie de voir cette fête avant de partir pour le service, avant cet exil de cinq années, au retour incertain, dont l'approche inévitable commençait à lui serrer le cœur...

Quatre heures du matin. Les autres, qui étaient restés couchés en bas, arrivèrent tous trois pour les relever. Encore un peu endormis, humant à pleine poitrine le grand air froid, ils montaient en achevant de mettre leurs longues bottes, et ils fermaient les yeux, éblouis d'abord par tous ces reflets de lumière pâle.

Alors Yann et Sylvestre firent rapidement leur premier déjeuner du matin avec des biscuits ; après les avoir cassés à coups de maillet [1], ils se mirent à les croquer d'une manière très bruyante, en riant de les trouver si durs. Ils étaient redevenus tout à fait gais à l'idée de descendre dormir, d'avoir bien chaud dans leurs couchettes, et, se tenant l'un l'autre par la taille, ils s'en allèrent jusqu'à l'écoutille [2], en se dandinant sur un air de vieille chanson.

Avant de disparaître par ce trou, ils s'arrêtèrent à jouer avec un certain Turc, le chien du bord, un terre-neuvien tout jeune, qui avait d'énormes pattes encore gauches et enfantines. Ils l'agaçaient de la main ; l'autre les mordillait comme un loup, et finit par leur faire du mal. Alors Yann, avec un froncement de colère dans ses yeux changeants, le repoussa d'un coup trop fort qui le fit s'aplatir et hurler.

Il avait le cœur bon, ce Yann, mais sa nature était restée un peu sauvage, et quand son être physique était seul en jeu, une caresse douce était souvent chez lui très près d'une violence brutale.

---

1. Un « maillet » est un marteau.
2. L'« écoutille » est une ouverture dans le pont d'un navire pour permettre d'accéder aux étages inférieurs.

Leur navire s'appelait la *Marie*, capitaine Guermeur. Il allait chaque année faire la grande pêche dangereuse dans ces régions froides où les étés n'ont plus de nuits.

Il était très ancien, comme la Vierge de faïence sa patronne. Ses flancs épais, à vertèbres de chêne, étaient éraillés, rugueux, imprégnés d'humidité et de saumure ; mais sains encore et robustes, exhalant les senteurs vivifiantes du goudron. Au repos il avait un air lourd, avec sa membrure massive, mais quand les grandes brises d'ouest soufflaient, il retrouvait sa vigueur légère, comme les mouettes que le vent réveille. Alors il avait sa façon à lui de *s'élever à la lame* et de rebondir, plus lestement que bien des jeunes, taillés avec les finesses modernes.

Quant à eux, les six hommes et le mousse, ils étaient des *Islandais* (une race vaillante de marins qui est répandue surtout au pays de Paimpol et de Tréguier, et qui s'est vouée de père en fils à cette pêche-là).

Ils n'avaient presque jamais vu l'été de France.

À la fin de chaque hiver, ils recevaient avec les autres pêcheurs, dans le port de Paimpol, la bénédiction des départs. Pour ce jour de fête, un reposoir, toujours le même, était construit sur le quai ; il imitait une grotte en rochers et, au milieu, parmi des trophées d'ancres, d'avirons et de filets, trônait, douce et

impassible, la Vierge, patronne des marins, sortie pour
eux de son église, regardant toujours, de génération en
génération, avec ses mêmes yeux sans vie, les heureux
pour qui la saison allait être bonne — et les autres,
ceux qui ne devaient pas revenir.

Le saint sacrement, suivi d'une procession lente de
femmes et de mères, de fiancées et de sœurs, faisait le
tour du port, où tous les navires islandais, qui s'étaient
pavoisés, saluaient du pavillon au passage. Le prêtre,
s'arrêtant devant chacun d'eux, disait les paroles et
faisait les gestes qui bénissent.

Ensuite ils partaient tous, comme une flotte, laissant le pays presque vide d'époux, d'amants et de fils.
En s'éloignant, les équipages chantaient ensemble, à
pleines voix vibrantes, les cantiques de Marie Étoile-
de-la-Mer.

Et chaque année, c'était le même cérémonial de
départ, les mêmes adieux.

Après, recommençait la vie du large, l'isolement à
trois ou quatre compagnons rudes, sur des planches
mouvantes, au milieu des eaux froides de la mer
hyperborée.

Jusqu'ici, on était revenu — la Vierge Étoile-de-
la-Mer avait protégé ce navire qui portait son nom.

La fin d'août était l'époque de ces retours. Mais la
*Marie* suivait l'usage de beaucoup d'Islandais, qui est
de toucher seulement à Paimpol, et puis de descendre
dans le golfe de Gascogne où l'on vend bien sa pêche,
et dans les îles de sable à marais salants où l'on achète
le sel pour la campagne prochaine.

Dans ces ports du Midi, que le soleil chauffe
encore, se répandent pour quelques jours les équipages robustes, avides de plaisir, grisés par ce lambeau
d'été, par cet air plus tiède ; — par la terre et par les
femmes.

Et puis, avec les premières brumes de l'automne on
rentre au foyer, à Paimpol ou dans les chaumières
éparses du pays de Goëlo, s'occuper pour un temps de
famille et d'amour, de mariages et de naissances.
Presque toujours on trouve là des petits nouveau-nés,

conçus l'hiver d'avant, et qui attendent des parrains pour recevoir le sacrement du baptême : — il faut beaucoup d'enfants à ces races de pêcheurs que l'Islande dévore.

# III

À Paimpol, un beau soir de cette année-là, un dimanche de juin, il y avait deux femmes très occupées à écrire une lettre.

Cela se passait devant une large fenêtre qui était ouverte et dont l'appui, en granit ancien et massif, portait une rangée de pots de fleurs.

Penchées sur leur table, toutes deux semblaient jeunes ; l'une avait une coiffe extrêmement grande, à la mode d'autrefois : l'autre, une coiffe toute petite, de la forme nouvelle qu'ont adoptée les Paimpolaises [1] :
— deux amoureuses, eût-on dit, rédigeant ensemble un message tendre pour quelque bel *Islandais.*

Celle qui dictait — la grande coiffe — releva la tête, cherchant ses idées. Tiens ! elle était vieille, très vieille, malgré sa tournure jeunette, ainsi vue de dos sous son petit châle brun. Mais tout à fait vieille : une bonne grand-mère d'au moins soixante-dix ans. Encore jolie par exemple, et encore fraîche, avec les pommettes bien roses, comme certains vieillards ont le don de les conserver. Sa coiffe, très basse sur le front et sur le sommet de la tête, était composée de deux ou trois larges cornets en mousseline qui semblaient s'échapper les uns des autres et retombaient sur la nuque. Sa figure vénérable s'encadrait bien dans toute

1. Loin de tenir du hasard, les coiffes bretonnes étaient le signe d'une appartenance ethnique.

cette blancheur et dans ces plis qui avaient un air religieux. Ses yeux, très doux, étaient pleins d'une bonne honnêteté. Elle n'avait plus trace de dents, plus rien, et, quand elle riait, on voyait à la place ses gencives rondes qui avaient un petit air de jeunesse. Malgré son menton, qui était devenu « en pointe de sabot » (comme elle avait coutume de dire), son profil n'était pas trop gâté pour les années ; on devinait encore qu'il avait dû être régulier et pur comme celui des saintes d'église.

Elle regardait par la fenêtre, cherchant ce qu'elle pourrait bien raconter de plus pour amuser son petit-fils.

Vraiment il n'existait pas ailleurs, dans tout le pays de Paimpol, une autre bonne vieille comme elle, pour trouver des choses aussi drôles à dire sur les uns ou les autres, ou même sur rien du tout. Dans cette lettre, il y avait déjà trois ou quatre histoires impayables — mais sans la moindre malice, car elle n'avait rien de mauvais dans l'âme.

L'autre, voyant que les idées ne venaient plus, s'était mise à écrire soigneusement l'adresse :

*À monsieur Moan, Sylvestre, à bord de la* Marie, *capitaine Guermeur — dans la mer d'Islande par Reykjavik.*

Après, elle aussi releva la tête pour demander :

« C'est-il fini, grand-mère Moan ? »

Elle était bien jeune, celle-ci, adorablement jeune, une figure de vingt ans. Très blonde — couleur rare en ce coin de Bretagne où la race est brune ; très blonde, avec des yeux d'un gris de lin à cils presque noirs. Ses sourcils, blonds autant que ses cheveux, étaient comme repeints au milieu d'une ligne plus rousse, plus foncée, qui donnait une expression de vigueur et de volonté. Son profil, un peu court, était très noble, le nez prolongeant la ligne du front avec une rectitude absolue, comme dans les visages grecs. Une fossette profonde, creusée sous la lèvre inférieure, en accentuait délicieusement le rebord ; — et de temps en temps, quand une pensée la préoccupait beaucoup, elle la mordait, cette lèvre, avec ses dents blanches d'en haut, ce qui faisait courir sous la peau fine des petites traînées plus rouges. Dans toute sa personne svelte, il y avait quelque chose de fier, de grave aussi un peu, qui lui venait des hardis marins d'Islande ses ancêtres. Elle avait une expression d'yeux à la fois obstinée et douce.

Sa coiffe était en forme de coquille, descendait bas sur le front, s'y appliquant presque comme un bandeau, puis se relevant beaucoup des deux côtés, laissant voir d'épaisses nattes de cheveux roulés en colimaçon au-dessus des oreilles — coiffure conservée des temps très anciens et qui donne encore un air d'autrefois aux femmes paimpolaises.

On sentait qu'elle avait été élevée autrement que cette pauvre vieille à qui elle prêtait le nom de grand-mère, mais qui, de fait, n'était qu'une grand-tante éloignée, ayant eu des malheurs.

Elle était la fille de M. Mével, un ancien Islandais, un peu forban [1], enrichi par des entreprises audacieuses sur mer.

Cette belle chambre où la lettre venait de s'écrire était la sienne : un lit tout neuf à la mode des villes avec des rideaux en mousseline, une dentelle au bord ; et, sur les épaisses murailles, un papier de couleur claire atténuant les irrégularités du granit. Au plafond, une couche de chaux blanche recouvrait des solives énormes qui révélaient l'ancienneté du logis ; — c'était une vraie maison de bourgeois aisés, et les fenêtres donnaient sur cette vieille place grise de Paimpol où se tiennent les marchés et les pardons.

« C'est fini, grand-mère Yvonne ? Vous n'avez plus rien à lui dire ?

— Non, ma fille, ajoute seulement, je te prie, le bonjour de ma part au fils Gaos. »

Le fils Gaos !... autrement dit Yann... Elle était devenue très rouge, la belle jeune fille fière, en écrivant ce nom-là.

1. Un « forban » est un pirate qui entreprend sans autorisation une expédition armée sur mer.

Dès que ce fut ajouté au bas de la page d'une écriture courue, elle se leva en détournant la tête, comme pour regarder dehors quelque chose de très intéressant sur la place.

Debout elle était un peu grande ; sa taille était moulée comme celle d'une élégante dans un corsage ajusté ne faisant pas de plis. Malgré sa coiffe, elle avait un air de demoiselle. Même ses mains, sans avoir cette excessive petitesse étiolée qui est devenue une beauté par convention, étaient fines et blanches, n'ayant jamais travaillé à de grossiers ouvrages.

Il est vrai, elle avait bien commencé par être une petite Gaud courant pieds nus dans l'eau, n'ayant plus de mère, allant presque à l'abandon pendant ces saisons de pêche que son père passait en Islande ; jolie, rose, dépeignée, volontaire, têtue, poussant vigoureuse au grand souffle âpre de la Manche. En ce temps-là, elle était recueillie par cette pauvre grand-mère Moan, qui lui donnait Sylvestre à garder pendant ses dures journées de travail chez les gens de Paimpol.

Et elle avait une adoration de petite mère pour cet autre tout petit qui lui était confié, dont elle était l'aînée d'à peine dix-huit mois ; aussi brun qu'elle était blonde, aussi soumis et câlin qu'elle était vive et capricieuse.

Elle se rappelait ce commencement de sa vie, en fille que la richesse ni les villes n'avaient grisée : il lui revenait à l'esprit comme un rêve lointain de liberté sauvage, comme un ressouvenir d'une époque vague et mystérieuse où les grèves avaient plus d'espace, où certainement les falaises étaient plus gigantesques...

Vers cinq ou six ans, encore de très bonne heure pour elle l'argent étant venu à son père, qui s'était mis à acheter et à revendre des cargaisons de navire, elle avait été emmenée par lui à Saint-Brieuc, et plus tard à Paris. — Alors, de petite Gaud, elle était devenue une *mademoiselle Marguerite*, grande, sérieuse, au regard grave. Toujours un peu livrée à elle-même dans un autre genre d'abandon que celui de la grève bretonne, elle avait conservé sa nature obstinée d'enfant.

Ce qu'elle savait des choses de la vie lui avait été
révélé bien au hasard, sans discernement aucun ; mais
une dignité innée, excessive, lui avait servi de sauve-
garde. De temps en temps elle prenait des allures de
hardiesse, disant aux gens bien en face, des choses
trop franches qui surprenaient, et son beau regard
clair ne s'abaissait pas toujours devant celui des jeunes
hommes ; mais il était si honnête et si indifférent que
ceux-ci ne pouvaient guère s'y méprendre, ils voyaient
bien tout de suite qu'ils avaient affaire à une fille sage,
fraîche de cœur autant que de figure.

Dans ces grandes villes, son costume s'était modifié
beaucoup plus qu'elle-même. Bien qu'elle eût gardé
sa coiffe, que les Bretonnes quittent difficilement, elle
avait vite appris à s'habiller d'une autre façon. Et sa
taille autrefois libre de petite pêcheuse, en se formant,
en prenant la plénitude de ses beaux contours germés
au vent de la mer, s'était amincie par le bas dans de
longs corsets de demoiselle.

Tous les ans, avec son père, elle revenait en Bretagne — l'été seulement comme les baigneuses
— retrouvant pour quelques jours ses souvenirs
d'autrefois et son nom de Gaud (qui en breton veut
dire Marguerite) ; un peu curieuse peut-être de voir
ces Islandais dont on parlait tant, qui n'étaient jamais
là, et dont chaque année quelques-uns de plus manquaient à l'appel ; entendant partout causer de cette
Islande qui lui apparaissait comme un gouffre lointain
— et où était à présent celui qu'elle aimait...

Et puis un beau jour elle avait été ramenée pour
tout à fait [1] au pays de ces pêcheurs, par un caprice de
son père, qui avait voulu finir là son existence et
habiter comme un bourgeois sur cette place de
Paimpol.

La bonne vieille grand-mère, pauvre et proprette,
s'en alla en remerciant, dès que la lettre fut relue et
l'enveloppe fermée. Elle demeurait assez loin, à

_____
1. « Pour tout à fait » = pour de bon.

l'entrée du pays de Ploubazlanec, dans un hameau de la côte, encore dans cette même chaumière où elle était née, où elle avait eu ses fils et ses petits-fils.

En traversant la ville, elle répondait à beaucoup de monde qui lui disait bonsoir : elle était une des anciennes du pays, débris d'une famille vaillante et estimée.

Par des miracles d'ordre et de soins, elle arrivait à paraître à peu près bien mise, avec de pauvres robes raccommodées, qui ne tenaient plus. Toujours ce petit châle brun de Paimpolaise, qui était sa tenue d'habillé et sur lequel retombaient depuis une soixantaine d'années les cornets de mousseline de ses grandes coiffes : son propre châle de mariage, jadis bleu, reteint pour les noces de son fils Pierre, et depuis ce temps-là ménagé pour les dimanches, encore bien présentable.

Elle avait continué de se tenir droite dans sa marche, pas du tout comme les vieilles ; et vraiment malgré ce menton un peu trop remonté, avec ces yeux si bons et ce profil si fin, on ne pouvait s'empêcher de la trouver bien jolie.

Elle était très respectée, et cela se voyait, rien que dans les bonsoirs que les gens lui donnaient.

En route elle passa devant chez son *galant,* un vieux soupirant d'autrefois, menuisier de son état ; octogénaire, qui maintenant se tenait toujours assis devant sa porte tandis que les jeunes, ses fils, rabotaient aux établis. — Jamais il ne s'était consolé, disait-on, de ce qu'elle n'avait voulu de lui ni en premières ni en secondes noces ; mais avec l'âge, cela avait tourné en une espèce de rancune comique, moitié maligne, et il l'interpellait toujours :

« Eh bien, la belle, quand ça donc qu'il faudra aller vous *prendre mesure ?...* »

Elle remercia, disant que non, qu'elle n'était pas encore décidée à se faire faire ce costume-là. Le fait est que ce vieux, dans sa plaisanterie un peu lourde, parlait de certain costume en planches de sapin par lequel finissent tous les habillements terrestres...

« Allons, quand vous voudrez, alors ; mais ne vous gênez pas, la belle, vous savez... »

Il lui avait déjà fait cette même facétie plusieurs fois. Et aujourd'hui elle avait peine à en rire : c'est qu'elle se sentait plus fatiguée, plus cassée par sa vie de labeur incessant — et elle songeait à son cher petit-fils, son dernier, qui, à son retour d'Islande, allait partir pour le service. — Cinq années !... S'en aller en Chine peut-être, à la guerre !... Serait-elle bien là, quand il reviendrait ? — Une angoisse la prenait à cette pensée... Non, décidément, elle n'était pas si gaie qu'elle en avait l'air, cette pauvre vieille, et voici que sa figure se contractait horriblement comme pour pleurer.

C'était donc possible cela, c'était donc vrai, qu'on allait bientôt le lui enlever, ce dernier petit-fils... Hélas ! mourir peut-être toute seule, sans l'avoir revu... On avait bien fait quelques démarches (des messieurs de la ville qu'elle connaissait) pour l'empêcher de partir, comme soutien d'une grand-mère presque indigente qui ne pourrait bientôt plus travailler. Cela n'avait pas réussi — à cause de l'autre, Jean Moan le déserteur, un frère aîné de Sylvestre dont on ne parlait plus dans la famille, mais qui existait tout de même quelque part en Amérique, enlevant à son cadet le bénéfice de l'exemption militaire. Et puis on avait objecté sa petite pension de veuve de marin ; on ne l'avait pas trouvée assez pauvre.

Quand elle fut rentrée, elle dit longuement ses prières, pour tous ses défunts, fils et petits-fils : ensuite elle pria aussi, avec une confiance ardente, pour son petit Sylvestre, et essaya de s'endormir, songeant au costume en planches, le cœur affreusement serré de se sentir si vieille au moment de ce départ...

L'autre, la jeune fille, était restée assise près de sa fenêtre, regardant sur le granit des murs les reflets jaunes du couchant, et dans le ciel, les hirondelles noires qui tournoyaient. Paimpol était toujours très mort, même le dimanche, par ces longues soirées de mai ; des jeunes filles, qui n'avaient seulement personne pour leur faire un peu la cour, se promenaient deux pas deux, trois par trois, rêvant aux galants d'Islande...

« ... Le bonjour de ma part au fils Gaos... » Cela l'avait beaucoup troublée d'écrire cette phrase et ce nom qui, à présent, ne voulait plus la quitter.

Elle passait souvent ses soirées à cette fenêtre, comme une demoiselle. Son père n'aimait pas beaucoup qu'elle se promenât avec les autres filles de son âge et qui, autrefois, avaient été de sa condition. Et puis, en sortant du café, quand il faisait les cent pas en fumant sa pipe avec d'autres anciens marins comme lui, il était content d'apercevoir là-haut à sa fenêtre encadrée de granit, entre les pots de fleurs, sa fille installée dans cette maison de riches.

Le fils Gaos !... Elle regardait malgré elle du côté de la mer, qu'on ne voyait pas, mais qu'on sentait là tout près, au bout de ces petites ruelles par où remontaient des bateliers. Et sa pensée s'en allait dans les infinis de cette chose toujours attirante, qui fascine et qui dévore ; sa pensée s'en allait là-bas, très loin dans les mers polaires, où naviguait la *Marie, capitaine Guermeur*.

Quel étrange garçon que ce fils Gaos !... fuyant, insaisissable maintenant, après s'être avancé d'une manière à la fois si osée et si douce.

..............................................................................

Ensuite, dans sa longue rêverie, elle repassait les souvenirs de son retour en Bretagne, qui était de l'année dernière.

Un matin de décembre, après une nuit de voyage, le train venant de Paris les avait déposés, son père et elle, à Guingamp, au petit jour brumeux et blanchâtre, très froid, frisant encore l'obscurité. Alors elle avait été saisie par une impression inconnue : cette vieille petite ville, qu'elle n'avait jamais traversée

qu'en été, elle ne la reconnaissait plus ; elle y éprouvait comme la sensation de plonger tout à coup dans
ce qu'on appelle, à la campagne : *les temps* — les
temps lointains du passé. Ce silence, après Paris ! Ce
train de vie tranquille de gens d'un autre monde,
allant dans la brume à leurs toutes petites affaires !
Ces vieilles maisons en granit sombre, noires d'humidité et d'un reste de nuit ; toutes ces choses bretonnes — qui la charmaient à présent qu'elle aimait
Yann — lui avaient paru ce matin-là d'une tristesse
bien désolée. Des ménagères matineuses ouvraient
déjà leurs portes, et, en passant, elle regardait dans
ces intérieurs anciens, à grande cheminée, où se
tenaient assises, avec des poses de quiétude, des
aïeules en coiffe qui venaient de se lever. Dès qu'il
avait fait un peu plus jour, elle était entrée dans
l'église pour dire ses prières. Et comme elle lui avait
semblé immense et ténébreuse, cette nef magnifique
— et différente des églises parisiennes, avec ses piliers
rudes usés à la base par les siècles, sa senteur de
caveau, de vétusté, de salpêtre ! Dans un recul profond, derrière des colonnes, un cierge brûlait, et une
femme se tenait agenouillée devant, sans doute pour
faire un vœu ; la lueur de cette flammèche grêle se
perdait dans le vide incertain des voûtes... Elle avait
retrouvé là tout à coup, en elle-même, la trace d'un
sentiment bien oublié : cette sorte de tristesse et
d'effroi qu'elle éprouvait jadis, étant toute petite,
quand on la menait à la première messe des matins
d'hiver, dans l'église de Paimpol.

Ce Paris, elle ne le regrettait pourtant pas, bien sûr,
quoiqu'il y eût là beaucoup de choses belles et amu-
santes. D'abord, elle s'y trouvait presque à l'étroit,
ayant dans les veines ce sang des coureurs de mer. Et
puis, elle s'y sentait une étrangère, une déplacée : les
Parisiennes, c'étaient ces femmes dont la taille mince
avait aux reins une cambrure artificielle, qui connaissaient une manière à part de marcher, de se tré-
mousser dans des gaines baleinées : et elle était trop
intelligente pour avoir jamais essayé de copier de plus

près ces choses. Avec ses coiffes, commandées chaque année à la faiseuse de Paimpol, elle se trouvait mal à l'aise dans les rues de Paris, ne se rendant pas compte que, si on se retournait tant pour la voir, c'est qu'elle était très charmante à regarder.

Il y en avait, de ces Parisiennes, dont les allures avaient une distinction qui l'attirait, mais elle les savait inaccessibles, celles-là. Et les autres, celles de plus bas, qui auraient consenti à lier connaissance, elle les tenait dédaigneusement à l'écart, ne les jugeant pas dignes. Elle avait donc vécu sans amies, presque sans autre société que celle de son père, souvent affairé, absent. Elle ne regrettait pas cette vie de dépaysement et de solitude.

Mais c'est égal, ce jour d'arrivée, elle avait été surprise d'une façon pénible par l'âpreté de cette Bretagne, revue en plein hiver. Et la pensée qu'il faudrait faire encore quatre ou cinq heures de voiture, s'enfouir beaucoup plus avant dans ce pays morne pour arriver à Paimpol, l'avait inquiétée comme une oppression.

Tout l'après-midi de ce même jour gris, ils avaient en effet voyagé, son père et elle, dans une vieille petite diligence crevassée, ouverte à tous les vents ; passant à la nuit tombante dans des villages tristes, sous des fantômes d'arbres suant la brume en gouttelettes fines. Bientôt, il avait fallu allumer les lanternes ; alors on n'avait plus rien vu — que deux traînées d'une nuance bien verte de feu de Bengale qui semblaient courir de chaque côté en avant des chevaux, et qui étaient les lueurs de ces deux lanternes jetées sur les interminables haies du chemin. — Comment tout à coup cette verdure, si verte, en décembre ?... D'abord étonnée, elle se pencha pour mieux voir, puis il lui sembla reconnaître et se rappeler : les ajoncs [1], les éternels ajoncs marins des sentiers et des falaises, qui ne jaunissent jamais dans le pays de Paimpol. En même temps commençait à souffler une brise plus tiède,

---

1. Les « ajoncs » sont des arbrisseaux épineux.

qu'elle croyait reconnaître aussi, et qui sentait la
mer...

Vers la fin de la route, elle avait été tout à fait
réveillée et amusée par cette réflexion qui lui était
venue :

« Tiens, puisque nous sommes en hiver, je vais les
voir, cette fois, les beaux pêcheurs d'Islande. »

En décembre, ils devaient être là, revenus tous, les
frères, les fiancés, les amants, les cousins, dont ses
amies, grandes et petites, l'entretenaient tant, à
chacun de ses voyages d'été, pendant les promenades
du soir. Et cette idée l'avait tenue occupée, pendant
que ses pieds se glaçaient dans l'immobilité de la car-
riole...

En effet, elle les avait vus... et maintenant son cœur
lui avait été pris par l'un d'eux...

# IV

La première fois qu'elle l'avait aperçu, lui, ce Yann, c'était le lendemain de son arrivée, au *pardon* [1] *des Islandais*, qui est le 8 décembre, jour de la Notre-Dame de Bonne-Nouvelle, patronne des pêcheurs — un peu après la procession, les rues sombres encore tendues de draps blancs sur lesquels étaient piqués du lierre et du houx, des feuillages et des fleurs d'hiver.

À ce pardon, la joie était lourde et un peu sauvage, sous un ciel triste. Joie sans gaieté, qui était faite surtout d'insouciance et de défi ; de vigueur physique et d'alcool ; sur laquelle pesait, moins déguisée qu'ailleurs, l'universelle menace de mourir.

Grand bruit dans Paimpol ; sons des cloches et chants de prêtres. Chansons rudes et monotones dans les cabarets ; vieux airs à bercer les matelots ; vieilles complaintes venues de la mer, venues je ne sais d'où, de la profonde nuit des temps. Groupes de marins se donnant le bras, zigzaguant dans les rues, par habitude de rouler et par commencement d'ivresse, jetant aux femmes des regards plus vifs après les longues continences du large. Groupes de filles en coiffes blanches de nonnain, aux belles poitrines serrées et frémissantes, aux beaux yeux remplis des désirs de tout un été. Vieilles maisons de granit enfermant ce grouille-

1. Fête religieuse fort populaire en Bretagne. Il s'agit ici de la bénédiction des bateaux en partance pour l'Islande.

ment de monde ; vieux toits racontant leurs luttes de plusieurs siècles contre les vents d'ouest, contre les embruns, les pluies, contre tout ce que lance la mer ; racontant aussi des histoires chaudes qu'ils ont abritées, des aventures anciennes d'audace et d'amour.

Et un sentiment religieux, une impression de passé, planant sur tout cela, avec un respect du culte antique, des symboles qui protègent, de la Vierge blanche et immaculée. À côté des cabarets, l'église au perron semé de feuillages, tout ouverte en grande baie sombre, avec son odeur d'encens, avec ses cierges dans son obscurité, et ses ex-voto de marins partout accrochés à la sainte voûte. À côté des filles amoureuses, les fiancées de matelots disparus, les veuves de naufragés, sortant des chapelles des morts avec leurs longs châles de deuil et leurs petites coiffes lisses ; les yeux à terre, silencieuses, passant au milieu de ce bruit de vie, comme un avertissement noir. Et là tout près, la mer toujours, la grande nourrice et la grande dévorante de ces générations vigoureuses, s'agitant elle aussi, faisant son bruit, prenant sa part de la fête...

De toutes ces choses ensemble, Gaud recevait l'impression confuse. Excitée et rieuse, avec le cœur serré dans le fond, elle sentait une espèce d'angoisse la prendre, à l'idée que ce pays maintenant était redevenu le sien pour toujours. Sur la place, où il y avait des jeux et des saltimbanques, elle se promenait avec ses amies qui lui nommaient, de droite et de gauche, les jeunes hommes de Paimpol ou de Ploubazlanec. Devant des chanteurs de complaintes, un groupe de ces « Islandais » était arrêté, tournant le dos. Et d'abord, frappée par l'un d'eux qui avait une taille de géant et des épaules presque trop larges, elle avait simplement dit, même avec une nuance de moquerie :

« En voilà un qui est grand ! »

Il y avait à peu près ceci de sous-entendu dans sa phrase :

« Pour celle qui l'épousera quel encombrement dans son ménage, un mari de cette carrure ! »

Lui s'était retourné comme s'il l'eût entendue et, de la tête aux pieds, il l'avait enveloppée d'un regard rapide qui semblait dire :

« Quelle est celle-ci qui porte la coiffe de Paimpol, et qui est si élégante et que je n'ai jamais vue ? »

Et puis, ses yeux s'étaient abaissés vite, par politesse, et il avait de nouveau paru très occupé des chanteurs, ne laissant plus voir de sa tête que les cheveux noirs, qui étaient assez longs et très bouclés derrière, sur le cou.

Ayant demandé sans gêne le nom d'une quantité d'autres, elle n'avait pas osé pour celui-là. Ce beau profil à peine aperçu ; ce regard superbe et un peu farouche ; ces prunelles brunes légèrement fauves, courant très vite sur l'opale bleuâtre de ses yeux, tout cela l'avait impressionnée et intimidée aussi.

Justement c'était ce « fils Gaos » dont elle avait entendu parler chez les Moan comme d'un grand ami de Sylvestre ; le soir de ce même pardon, Sylvestre et lui, marchant bras dessus bras dessous, les avaient croisés, son père et elle, et s'étaient arrêtés pour dire bonjour...

... Ce petit Sylvestre, il était tout de suite redevenu pour elle une espèce de frère. Comme des cousins qu'ils étaient, ils avaient continué de se tutoyer — il est vrai, elle avait hésité d'abord, devant ce grand garçon de dix-sept ans ayant déjà une barbe noire ; mais comme ses bons yeux d'enfant si doux n'avaient guère changé, elle l'avait bientôt assez reconnu pour s'imaginer ne l'avoir jamais perdu de vue. Quand il venait à Paimpol, elle le retenait à dîner le soir ; c'était sans conséquence, et il mangeait de très bon appétit, étant un peu privé chez lui...

... À vrai dire, ce Yann n'avait pas été très galant pour elle, pendant cette première présentation — au détour d'une petite rue grise toute jonchée de rameaux verts. Il s'était borné à lui ôter son chapeau, d'un geste presque timide bien que très noble ; puis l'ayant parcourue de son même regard rapide, il avait détourné les yeux d'un autre côté, paraissant être

mécontent de cette rencontre et avoir hâte de passer
son chemin. Une grande brise d'ouest, qui s'était
levée pendant la procession, avait semé par terre des
rameaux de buis et jeté sur le ciel des tentures gris
noir... Gaud, dans sa rêverie de souvenir, revoyait très
bien tout cela : cette tombée triste de la nuit sur cette
fin de pardon ; ces draps blancs piqués de fleurs qui se
tordaient au vent le long des murailles ; ces groupes
tapageurs d'« Islandais », gens de vent et de tempête,
qui entraient en chantant dans les auberges, se garant
contre la pluie prochaine ; surtout ce grand garçon,
planté debout devant elle, détournant la tête, avec un
air ennuyé et troublé de l'avoir rencontrée... Quel
changement profond s'était fait en elle depuis cette
époque !...

Et quelle différence entre le bruit de cette fin de fête
et la tranquillité d'à présent ! Comme ce même
Paimpol était silencieux et vide ce soir, pendant le
long crépuscule tiède de mai qui la retenait à sa
fenêtre, seule, songeuse et énamourée [1] !...

---

1. « Énamouré » (adjectif vieilli) signifie épris.

# V

La seconde fois qu'ils s'étaient vus, c'était à des noces. Ce fils Gaos avait été désigné pour lui donner le bras. D'abord elle s'était imaginée en être contrariée : défiler dans la rue avec ce garçon, que tout le monde regarderait à cause de sa haute taille, et qui du reste ne saurait probablement rien lui dire en route !... Et puis il l'intimidait, celui-là, décidément, avec son grand air sauvage.

À l'heure dite, tout le monde étant déjà réuni pour le cortège, ce Yann n'avait point paru. Le temps passait, il ne venait pas, et déjà on parlait de ne point l'attendre. Alors elle s'était aperçue que, pour lui seul, elle avait fait toilette ; avec n'importe quel autre de ces jeunes hommes, la fête, le bal, seraient pour elle manqués et sans plaisir...

À la fin il était arrivé, en belle tenue lui aussi, s'excusant sans embarras auprès des parents de la mariée. Voilà : de grands bancs de poissons, qu'on n'attendait pas du tout, avaient été signalés d'Angleterre comme devant passer le soir, un peu au large d'Aurigny [1] ; alors tout ce qu'il y avait de bateaux dans Ploubazlanec avait appareillé en hâte. Un émoi dans les villages, les femmes cherchant leurs maris dans les cabarets, les poussant pour les faire courir ; se

---

1. Aurigny fait, comme Jersey, partie des îles anglo-normandes, au large du Cotentin.

démenant elles-mêmes pour hisser les voiles, aider à la
manœuvre, enfin un vrai *branle-bas* dans le pays...

Au milieu de tout ce monde qui l'entourait, il
racontait avec une extrême aisance ; avec des gestes à
lui, des roulements d'yeux, et un beau sourire qui
découvrait ses dents brillantes. Pour exprimer mieux
la précipitation des appareillages, il jetait de temps en
temps au milieu de ses phrases un certain petit *hou !*
prolongé, très drôle — qui était un cri de matelot donnant une idée de vitesse et ressemblant au son flûté du
vent. Lui qui parlait avait été obligé de se chercher un
remplaçant bien vite et de le faire accepter par le
patron de la barque auquel il s'était loué pour la
saison d'hiver. De là venait son retard, et, pour n'avoir
pas voulu manquer les noces, il allait perdre toute sa
part de pêche.

Ces motifs avaient été parfaitement compris par les
pêcheurs qui l'écoutaient et personne n'avait songé à
lui en vouloir ; — on sait bien, n'est-ce pas ? que, dans
la vie, tout est plus ou moins dépendant des choses
imprévues de la mer, plus ou moins soumis aux chan-
gements du temps et aux migrations mystérieuses des
poissons. Les autres Islandais qui étaient là regret-
taient seulement de n'avoir pas été avertis assez tôt
pour profiter, comme ceux de Ploubazlanec, de cette
fortune qui allait passer au large.

Trop tard à présent, tant pis, il n'y avait plus qu'à
offrir son bras aux filles. Les violons commençaient
dehors leur musique et gaiement on s'était mis en
route.

D'abord il ne lui avait dit que de ces galanteries
sans portée, comme on en conte pendant les fêtes de
mariage aux jeunes filles que l'on connaît peu. Parmi
ces couples de la noce, eux seuls étaient des étrangers
l'un pour l'autre ; ailleurs dans le cortège, ce n'étaient
que cousins et cousines, fiancés et fiancées. Des
amants, il y en avait bien quelques paires aussi ; car,
dans ce pays de Paimpol, on va très loin en amour, à
l'époque de la rentrée d'Islande. (Seulement on a le
cœur honnête, et l'on s'épouse après.)

Mais le soir, pendant qu'on dansait, la causerie étant revenue entre eux deux sur ce grand passage de poissons, il lui avait dit brusquement, la regardant dans les yeux en plein, cette chose inattendue :

« Il n'y a que vous dans Paimpol — et même dans le monde — pour m'avoir fait manquer cet appareillage ; non, sûr que pour aucune autre, je ne me serais dérangé de ma pêche, mademoiselle Gaud... »

Étonnée d'abord que ce pêcheur osât lui parler ainsi, à elle qui était venue à ce bal un peu comme une reine, et puis charmée délicieusement, elle avait fini par répondre :

« Je vous remercie, monsieur Yann ; et moi-même, je préfère être avec vous qu'avec aucun autre. »

Ç'avait été tout. Mais, à partir de ce moment jusqu'à la fin des danses, ils s'étaient mis à se parler d'une façon différente, à voix plus basse et plus douce...

On dansait à la vielle, au violon, les mêmes couples presque toujours ensemble. Quand lui venait la reprendre, après avoir par convenance dansé avec quelque autre, ils échangeaient un sourire d'amis qui se retrouvent et continuaient leur conversation d'avant qui était très intime. Naïvement, Yann racontait sa vie de pêcheur, ses fatigues, ses salaires, les difficultés d'autrefois chez ses parents, quand il avait fallu élever les quatorze petits Gaos dont il était le frère aîné. — À présent, ils étaient tirés de la peine, surtout à cause d'une épave que leur père avait rencontrée en Manche, et dont la vente leur avait rapporté dix mille francs, part faite à l'État [1] ; cela avait permis de construire un premier étage au-dessus de leur maison — laquelle était à la pointe du pays de Ploubazlanec, tout au bout des terres, au hameau de Pors-Even, dominant la Manche, avec une vue très belle.

« C'était dur, disait-il, ce métier d'Islande : partir comme ça dès le mois de février, pour un tel pays, où

1. La coutume veut qu'une épave rapporte un tiers de sa valeur à celui qui la trouve en mer, les deux autres tiers représentant « la part faite à l'État ».

il fait si froid et si sombre, avec une mer si mauvaise... »

... Toute leur conversation du bal, Gaud, qui se la rappelait comme chose d'hier, la repassait lentement dans sa mémoire, en regardant la nuit de mai tomber sur Paimpol. S'il n'avait pas eu des idées de mariage, pourquoi lui aurait-il appris tous ces détails d'existence, qu'elle avait écoutés un peu comme fiancée ? Il n'avait pourtant pas l'air d'un garçon banal aimant à communiquer ses affaires à tout le monde...

« ... Le métier est assez bon tout de même, avait-il dit, et, pour moi, je n'en changerais toujours pas. Des années, c'est huit cents francs ; d'autres fois douze cents, que l'on me donne au retour et que je porte à notre mère.

— Que vous portez à votre mère, monsieur Yann ?

— Mais oui, toujours tout. Chez nous, les Islandais, c'est l'habitude comme ça, mademoiselle Gaud. (Il disait cela comme une chose bien due et toute naturelle.) Ainsi, moi, vous ne croiriez pas, je n'ai presque jamais d'argent. Le dimanche c'est notre mère qui m'en donne un peu quand je viens à Paimpol. Pour tout c'est la même chose. Ainsi, cette année, notre père m'a fait faire ces habits neufs que je porte, sans quoi je n'aurais jamais voulu venir aux noces ; oh ! non, sûr, je ne serais pas venu vous donner le bras avec mes habits de l'an dernier... »

Pour elle, accoutumée à voir des Parisiens, ils n'étaient peut-être pas très élégants, ces habits neufs d'Yann, cette veste très courte, ouverte sur un gilet d'une forme un peu ancienne ; mais le torse qui se moulait dessous était irréprochablement beau, et alors le danseur avait grand air tout de même.

En souriant, il la regardait bien dans les yeux, chaque fois qu'il avait dit quelque chose, pour voir ce qu'elle en pensait. Et comme son regard restait bon et honnête, tandis qu'il racontait tout cela pour qu'elle fût bien prévenue qu'il n'était pas riche !

Elle aussi lui souriait, en le regardant toujours bien en face ; répondant très peu de chose, mais écoutant

avec toute son âme, toujours plus étonnée et attirée
vers lui. Quel mélange il était, de rudesse sauvage et
d'enfantillage câlin ! Sa voix grave, qui avec d'autres
était brusque et décidée, devenait, quand il lui parlait,
de plus en plus fraîche et caressante ; pour elle seule, il
savait la faire vibrer avec une extrême douceur,
comme une musique voilée d'instruments à cordes.

Et quelle chose singulière et inattendue, ce grand
garçon avec ses allures désinvoltes, son aspect terrible,
toujours traité chez lui en petit enfant et trouvant cela
naturel ; ayant couru le monde, toutes les aventures,
tous les dangers, et conservant pour ses parents cette
soumission respectueuse, absolue.

Elle le comparait avec d'autres, avec trois ou quatre
freluquets [1] de Paris, commis, écrivassiers ou je ne sais
quoi, qui l'avaient poursuivie de leurs adorations,
pour son argent. Et celui-ci lui semblait être ce qu'elle
avait connu de meilleur, en même temps qu'il était le
plus beau.

Pour se mettre davantage à sa portée, elle avait
raconté que, chez elle aussi, on ne s'était pas toujours
trouvé à l'aise comme à présent ; que son père avait
commencé par être pêcheur d'Islande, et gardait
beaucoup d'estime pour les Islandais ; qu'elle-même
se rappelait avoir couru pieds nus, étant toute petite
— sur la grève — après la mort de sa pauvre mère...

... Oh ! cette nuit de bal, la nuit délicieuse, décisive
et unique dans sa vie — elle était déjà presque lointaine, puisqu'elle datait de décembre et qu'on était en
mai. Tous les beaux danseurs d'alors pêchaient à présent là-bas, épars sur la mer d'Islande — y voyant
clair, au pâle soleil, dans leur solitude immense, tandis
que l'obscurité se faisait tranquillement sur la terre
bretonne.

Gaud restait à sa fenêtre. La place de Paimpol,
presque fermée de tous côtés par des maisons antiques, devenait de plus en plus triste avec la nuit ; on
n'entendait guère de bruit nulle part. Au-dessus des

---

1. Se dit familièrement d'un homme de peu d'importance.

maisons, le vide encore lumineux du ciel semblait se creuser, s'élever, se séparer davantage des choses terrestres — qui maintenant, à cette heure crépusculaire, se tenaient toutes en une seule découpure noire de pignons et de vieux toits. De temps en temps une porte se fermait, ou une fenêtre ; quelque ancien marin, à la démarche roulante, sortait d'un cabaret, s'en allait par les petites rues sombres ; ou bien quelques filles attardées rentraient de la promenade avec des bouquets de fleurs de mai. Une, qui connaissait Gaud, en lui disant bonsoir, leva bien haut vers elle au bout de son bras une gerbe d'aubépine comme pour la lui faire sentir ; on voyait encore un peu dans l'obscurité transparente ces légères touffes de fleurettes blanches. Il y avait du reste une autre odeur douce qui était montée des jardins et des cours, celle des chèvrefeuilles fleuris sur le granit des murs — et aussi une vague senteur de goémon [1], venue du port. Les dernières chauves-souris glissaient dans l'air, d'un vol silencieux, comme les bêtes des rêves.

Gaud avait passé bien des soirées à cette fenêtre, regardant cette place mélancolique, songeant aux Islandais qui étaient partis, et toujours à ce même bal...

... Il faisait très chaud sur la fin de ces noces, et beaucoup de têtes de valseurs commençaient à tourner. Elle se le rappelait, lui, dansant avec d'autres, des filles ou des femmes dont il avait dû être plus ou moins l'amant ; elle se rappelait sa condescendance dédaigneuse pour répondre à leurs appels... Comme il était différent avec celles-là !...

Il était un charmant danseur, droit comme un chêne de futaie [2], et tournant avec une grâce à la fois légère et noble, la tête rejetée en arrière. Ses cheveux bruns, qui étaient en boucles, retombaient un peu sur son front et remuaient au vent des danses ; Gaud, qui était assez grande, en sentait le frôlement sur sa coiffe,

1. Nom donné en Bretagne au varech, aux algues marines.
2. Groupe d'arbres de grande dimension.

quand il se penchait vers elle pour mieux la tenir pendant les valses rapides.

De temps en temps, il lui montrait d'un signe sa petite sœur Marie et Sylvestre, les deux fiancés, qui dansaient ensemble. Il riait, d'un air très bon, en les voyant tous deux si jeunes, si réservés l'un près de l'autre, se faisant des révérences, prenant des figures timides pour se dire bien bas des choses sans doute très aimables. Il n'aurait pas permis qu'il en fût autrement, bien sûr ; mais c'est égal, il s'amusait, lui, coureur et entreprenant qu'il était devenu, de les trouver si naïfs ; il échangeait alors avec Gaud des sourires d'intelligence intime qui disaient : « Comme ils sont gentils et drôles à regarder, *nos* deux petits frères !... »

On s'embrassait beaucoup à la fin de la nuit : baisers de cousins, baisers de fiancés, baisers d'amants, qui conservaient malgré tout un bon air franc et honnête, là, à pleine bouche, et devant tout le monde. Lui ne l'avait pas embrassée, bien entendu ; on ne se permettait pas cela avec la fille de M. Mével ; peut-être seulement la serrait-il un peu plus contre sa poitrine, pendant ces valses de la fin, et elle, confiante, ne résistait pas, s'appuyait au contraire, s'étant donnée de toute son âme. Dans ce vertige subit, profond, délicieux, qui l'entraînait tout entière vers lui, ses sens de vingt ans étaient bien pour quelque chose, mais c'était son cœur qui avait commencé le mouvement.

« Avez-vous vu cette effrontée, comme elle le regarde ? » disaient deux ou trois belles filles, aux yeux chastement baissés sous des cils blonds ou noirs, et qui avaient parmi les danseurs un amant pour le moins ou bien deux. En effet elle le regardait beaucoup, mais elle avait cette excuse, c'est qu'il était le premier, l'unique des jeunes hommes à qui elle eût jamais fait attention dans sa vie.

En se quittant le matin, quand tout le monde était parti à la débandade, au petit jour glacé, ils s'étaient dit adieu d'une façon à part, comme deux promis qui vont se retrouver le lendemain. Et alors, pour rentrer, elle avait traversé cette même place avec son père, nullement fatiguée, se sentant alerte et joyeuse, ravie de respirer, aimant cette brume gelée du dehors et cette aube triste, trouvant tout exquis et tout suave.

... La nuit de mai était tombée depuis longtemps ; les fenêtres s'étaient toutes peu à peu fermées, avec de petits grincements de leurs ferrures. Gaud restait toujours là, laissant la sienne ouverte. Les rares derniers passants, qui distinguaient dans le noir la forme blanche de sa coiffe, devaient dire : « Voilà une fille qui, pour sûr, rêve à son galant. » Et c'était vrai, qu'elle y rêvait — avec une envie de pleurer par exemple ; ses petites dents blanches mordaient ses lèvres, défaisaient constamment ce pli qui soulignait en bas le contour de sa bouche fraîche. Et ses yeux restaient fixes dans l'obscurité, ne regardant rien des choses réelles...

... Mais, après ce bal, pourquoi n'était-il pas revenu ? Quel changement en lui ? Rencontré par hasard, il avait l'air de la fuir, en détournant ses yeux dont les mouvements étaient toujours si rapides.

Souvent elle en avait causé avec Sylvestre, qui ne comprenait pas non plus :

« C'est pourtant bien avec celui-là que tu devrais te marier, Gaud, disait-il, si ton père le permettait, car tu n'en trouverais pas dans le pays un autre qui le vaille. D'abord je te dirai qu'il est très sage, sans en avoir l'air ; c'est fort rare quand il se grise. Il fait bien un peu son têtu quelquefois, mais dans le fond il est tout à fait doux. Non, tu ne peux pas savoir comme il est bon. Et un marin ! à chaque saison de pêche les capitaines se disputent pour l'avoir... »

La permission de son père, elle était bien sûre de l'obtenir, car jamais elle n'avait été contrariée dans ses volontés. Cela lui était donc bien égal qu'il ne fût pas riche. D'abord, un marin comme ça, il suffirait d'un peu d'argent d'avance pour lui faire suivre six mois les cours de cabotage [1] et il deviendrait un capitaine à qui tous les armateurs voudraient confier des navires.

---

1. Le « cabotage » est le contraire de la navigation au long cours, puisqu'il désigne la navigation marchande le long même des côtes.

Cela lui était égal aussi qu'il fût un peu un géant ; être trop fort, ça peut devenir un défaut chez une femme, mais pour un homme cela ne nuit pas du tout à la beauté.

Par ailleurs elle s'était informée, sans en avoir l'air, auprès des filles du pays qui savaient toutes les histoires d'amour : on ne lui connaissait point d'engagements ; sans paraître tenir à l'une plus qu'à l'autre, il allait de droite et de gauche, à Lézardrieux aussi bien qu'à Paimpol, auprès des belles qui avaient envie de lui.

Un soir de dimanche, très tard, elle l'avait vu passer sous ses fenêtres, reconduisant et serrant de près une certaine Jeannie Caroff, qui était jolie assurément, mais dont la réputation était fort mauvaise. Cela, par exemple, lui avait fait un mal cruel.

On lui avait assuré qu'il était très emporté ; qu'étant gris un soir, dans un certain café de Paimpol où les Islandais font leurs fêtes, il avait lancé une grosse table en marbre au travers d'une porte qu'on ne voulait pas lui ouvrir...

Tout cela, elle le lui pardonnait : on sait bien comment sont les marins, quelquefois, quand ça les prend... Mais, s'il avait le cœur bon, pourquoi était-il venu la chercher, elle qui ne songeait à rien, pour la quitter après ; quel besoin avait-il eu de la regarder toute une nuit, avec ce beau sourire qui semblait si franc, et de prendre cette voix douce pour lui faire des confidences comme à une fiancée ? À présent elle était incapable de s'attacher à un autre et de changer. Dans ce même pays, autrefois, quand elle était tout à fait une enfant, on avait coutume de lui dire pour la gronder qu'elle était une mauvaise petite, entêtée dans ses idées comme aucune autre ; cela lui était resté. Belle demoiselle à présent, un peu sérieuse et hautaine d'allures, que personne n'avait façonnée, elle demeurait dans le fond toute pareille.

Après ce bal, l'hiver dernier s'était passé dans cette attente de le revoir, et il n'était même pas venu lui dire adieu avant le départ d'Islande. Maintenant qu'il

n'était plus là, rien n'existait pour elle ; le temps
ralenti semblait se traîner — jusqu'à ce retour
d'automne pour lequel elle avait formé ses projets
d'en avoir le cœur net et d'en finir...

... Onze heures à l'horloge de la mairie — avec cette
sonorité particulière que les cloches prennent pendant
les nuits tranquilles des printemps.

À Paimpol, onze heures, c'est très tard ; alors Gaud
ferma sa fenêtre et alluma sa lampe pour se coucher...

Chez ce Yann, peut-être bien était-ce seulement de
la sauvagerie ; ou, comme lui aussi était fier, était-ce la
peur d'être refusé, la croyant trop riche ?... Elle avait
déjà voulu le lui demander elle-même tout simplement ; mais c'était Sylvestre qui avait trouvé que ça ne
pouvait pas se faire, que ce ne serait pas très bien pour
une jeune fille de paraître si hardie. Dans Paimpol, on
critiquait déjà son air et sa toilette...

... Elle enlevait ses vêtements avec la lenteur distraite d'une fille qui rêve : d'abord sa coiffe de mousseline, puis sa robe élégante, ajustée à la mode des
villes, qu'elle jeta au hasard sur une chaise.

Ensuite son long corset de demoiselle, qui faisait
causer les gens, par sa tournure parisienne. Alors sa
taille, une fois libre, devint plus parfaite ; n'étant plus
comprimée, ni trop amincie par le bas, elle reprit ses
lignes naturelles, qui étaient pleines et douces comme
celles des statues en marbre ; ses mouvements en
changeaient les aspects, et chacune de ses poses était
exquise à regarder.

La petite lampe, qui brûlait seule à cette heure
avancée, éclairait avec un peu de mystère ses épaules
et sa poitrine, sa forme admirable qu'aucun œil n'avait
jamais regardée et qui allait sans doute être perdue
pour tous, se dessécher sans être jamais vue, puisque
ce Yann ne la voulait pas pour lui...

Elle se savait jolie de figure, mais elle était bien
inconsciente de la beauté de son corps. Du reste, dans
cette région de la Bretagne, chez les filles des pêcheurs
islandais, c'est presque de race, cette beauté-là ; on ne
la remarque plus guère, et même les moins sages

d'entre elles, au lieu d'en faire parade, auraient une pudeur à la laisser voir. Non, ce sont les raffinés des villes qui attachent tant d'importance à ces choses pour les mouler ou les peindre...

Elle se mit à défaire les espèces de colimaçons en cheveux qui étaient enroulés au-dessus de ses oreilles et les deux nattes tombèrent sur son dos comme deux serpents très lourds. Elle les retroussa en couronne sur le haut de sa tête — ce qui était commode pour dormir — alors, avec son profil droit, elle ressemblait à une vierge romaine.

Cependant ses bras restaient relevés, et, en mordant toujours sa lèvre, elle continuait de remuer dans ses doigts les tresses blondes — comme un enfant qui tourmente un jouet quelconque en pensant à autre chose ; après, les laissant encore retomber, elle se mit très vite à les défaire pour s'amuser, pour les étendre ; bientôt elle en fut couverte jusqu'aux reins, ayant l'air de quelque druidesse de forêt.

Et puis, le sommeil étant venu tout de même, malgré l'amour et malgré l'envie de pleurer, elle se jeta brusquement dans son lit, en se cachant la figure dans cette masse soyeuse de ses cheveux, qui était déployée à présent comme un voile...

Dans sa chaumière de Ploubazlanec, la grand-mère Moan, qui était, elle, sur l'autre versant plus noir de la vie, avait fini aussi par s'endormir, du sommeil glacé des vieillards, en songeant à son petit-fils et à la mort.

Et, à cette même heure, à bord de la *Marie* — sur la mer Boréale qui était ce soir-là très remuante — Yann et Sylvestre, les deux désirés, se chantaient des chansons, tout en faisant gaiement leur pêche à la lumière sans fin du jour...

# VI

Environ un mois plus tard. — En juin.

Autour de l'Islande, il fait cette sorte de temps rare que les matelots appellent le *calme blanc ;* c'est-à-dire que rien ne bougeait dans l'air, comme si toutes les brises étaient épuisées, finies.

Le ciel s'était couvert d'un grand voile blanchâtre, qui s'assombrissait pas le bas, vers l'horizon, passait aux gris plombés, aux nuances ternes de l'étain. Et là-dessous, les eaux inertes jetaient un éclat pâle, qui fatiguait les yeux et qui donnait froid.

Cette fois-là, c'étaient des moires, rien que des moires changeantes qui jouaient sur la mer ; des cernes très légers, comme on en ferait en soufflant contre un miroir. Toute l'étendue luisante semblait couverte d'un réseau de dessins vagues qui s'enlaçaient et se déformaient ; très vite effacés, très fugitifs.

Éternel soir ou éternel matin, il était impossible de dire : un soleil qui n'indiquait plus aucune heure, restait là toujours, pour présider à ce resplendissement de choses mortes, il n'était lui-même qu'un autre cerne, presque sans contours, agrandi jusqu'à l'immense par un halo trouble.

Yann et Sylvestre, en pêchant à côté l'un de l'autre,

chantaient : *Jean-François de Nantes,* la chanson qui ne
finit plus — s'amusant de sa monotonie même et se
regardant du coin de l'œil pour rire de l'espèce de
drôlerie enfantine avec laquelle ils reprenaient perpétuellement les couplets, en tâchant d'y mettre un
entrain nouveau à chaque fois. Leurs joues étaient
roses sous la grande fraîcheur salée ; cet air qu'ils respiraient était vivifiant et vierge ; ils en prenaient plein
leur poitrine, à la source même de toute vigueur et de
toute existence.

Et pourtant, autour d'eux, c'étaient des aspects de
non-vie, de monde fini ou pas encore créé ; la
lumière n'avait aucune chaleur ; les choses se
tenaient immobiles et comme refroidies à jamais,
sous le regard de cette espèce de grand œil spectral
qui était le soleil.

La *Marie* projetait sur l'étendue une ombre qui était
très longue comme le soir, et qui paraissait verte, au
milieu de ces surfaces polies reflétant les blancheurs
du ciel ; alors, dans toute cette partie ombrée qui ne
miroitait pas, on pouvait distinguer par transparence
ce qui se passait sous l'eau : des poissons innombra-
bles, des myriades et des myriades, tous pareils, glissant doucement dans la même direction, comme
ayant un but dans leur perpétuel voyage. C'étaient les
morues qui exécutaient leurs évolutions d'ensemble,
toutes en long dans le même sens, bien parallèles,
faisant un effet de hachures grises, et sans cesse agitées d'un tremblement rapide, qui donnait un air de
fluidité à cet amas de vies silencieuses. Quelquefois,
avec un coup de queue brusque, toutes se retournaient en même temps, montrant le brillant de leur
ventre argenté ; et puis le même coup de queue, le
même retournement, se propageait dans le banc tout
entier par ondulations lentes, comme si des milliers de
lames de métal eussent jeté, entre deux eaux, chacune
un petit éclair.

Le soleil, déjà très bas, s'abaissait encore ; donc
c'était le soir décidément. À mesure qu'il descendait
dans les zones couleur de plomb qui avoisinaient la

mer, il devenait jaune, et son cercle se dessinait plus net, plus réel. On pouvait le fixer avec les yeux comme on le fait pour la lune.

Il éclairait pourtant ; mais on eût dit qu'il n'était pas du tout loin dans l'espace ; il semblait qu'en allant, avec un navire, seulement jusqu'au bout de l'horizon, on eût rencontré là ce gros ballon triste, flottant dans l'air à quelques mètres au-dessus des eaux.

La pêche allait assez vite ; en regardant dans l'eau reposée, on voyait très bien la chose se faire : les morues venir mordre, d'un mouvement glouton ; ensuite se secouer un peu, se sentant piquées, comme pour mieux se faire accrocher le museau. Et, de minute en minute, vite, à deux mains, les pêcheurs rentraient leur ligne — rejetant la bête à qui devait l'éventrer et l'aplatir.

La flottille des Paimpolais était éparse sur ce miroir tranquille, animant ce désert. Çà et là, paraissaient les petites voiles lointaines, déployées pour la forme puisque rien ne soufflait, et très blanches, se découpant en clair sur les grisailles des horizons.

Ce jour-là, ç'avait l'air d'un métier si calme, si facile, celui de pêcheur d'Islande ; — un métier de demoiselle...

...................................................................

Jean-François de Nantes ;
Jean-François,
Jean-François !

Ils chantaient, les deux grands enfants.

Et Yann s'occupait bien peu d'être si beau et d'avoir la mine si noble. D'ailleurs, enfant seulement avec Sylvestre, ne chantant et ne jouant jamais qu'avec celui-là ; renfermé au contraire avec les autres, et plutôt fier et sombre — très doux pourtant quand on avait besoin de lui ; toujours bon et serviable, quand on ne l'irritait pas.

Eux chantaient cette chanson-là ; les deux autres, à quelques pas plus loin, chantaient autre chose, une autre mélopée faite aussi de somnolence, de santé et de vague mélancolie.

On ne s'ennuyait pas et le temps passait.

En bas, dans la cabine, il y avait toujours du feu, couvant au fond du fourneau de fer, et le couvercle de l'écoutille était maintenu fermé pour procurer des illusions de nuit à ceux qui avaient besoin de sommeil. Il leur fallait très peu d'air pour dormir, et les gens moins robustes, élevés dans les villes, en eussent désiré davantage. Mais quand la poitrine profonde s'est gonflée tout le jour à même l'atmosphère infinie, elle s'endort, elle aussi, après, et ne remue presque plus ; alors on peut se tapir dans n'importe quel petit trou comme font les bêtes.

On se couchait après le quart, par fantaisie, à des moments quelconques, les heures n'important plus dans cette clarté continuelle. Et c'étaient toujours de bons sommes, sans agitations, sans rêves, qui reposaient de tout.

Quand par hasard l'idée était aux femmes, cela par exemple agitait les dormeurs : en se disant que dans six semaines la pêche allait finir, et qu'ils en posséderaient bientôt des nouvelles, ou des anciennes déjà aimées, ils rouvraient tout grands leurs yeux.

Mais cela venait rarement ; ou bien alors on y songeait plutôt à la manière honnête : on se rappelait les épouses, les fiancées, les sœurs, les parentes... Avec l'habitude de la continence, les sens aussi s'endorment — pendant des périodes bien longues...

.......................................................................

Jean-François de Nantes ;
Jean-François,
Jean-François !

... Ils regardaient à présent, au fond de leur horizon gris, quelque chose d'imperceptible. Une petite

fumée, montant des eaux comme une queue micro-
scopique, d'un autre gris, un tout petit peu plus foncé
que celui du ciel. Avec leurs yeux exercés à sonder les
profondeurs, ils l'avaient vite aperçue :

« Un vapeur [1], là-bas !

— J'ai idée, dit le capitaine en regardant bien, j'ai
idée que c'est un vapeur de l'État — le croiseur qui
vient faire sa ronde... »

Cette vague fumée apportait aux pêcheurs des nouvelles de France et, entre autres, certaine lettre de
vieille grand-mère, écrite par une main de belle jeune
fille.

Il se rapprocha lentement ; bientôt on vit sa coque
noire — c'était bien le croiseur, qui venait faire un
tour dans ces fjords de l'ouest.

En même temps, une légère brise qui s'était levée,
piquante à respirer, commençait à marbrer par
endroits la surface des eaux mortes ; elle traçait sur le
luisant miroir des dessins d'un bleu vert, qui s'allongeaient en traînées, s'étendaient comme des éventails,
ou se ramifiaient en forme de madrépores ; cela se
faisait très vite avec un bruissement, c'était comme un
signe de réveil présageant la fin de cette torpeur
immense. Et le ciel, débarrassé de son voile, devenait
clair ; les vapeurs, retombées sur l'horizon, s'y tas-
saient en amoncellements de ouates grises, formant
comme des murailles molles autour de la mer. Les
deux glaces sans fin entre lesquelles les pêcheurs
étaient — celle d'en haut et celle d'en bas — reprenaient leur transparence profonde, comme si on eût
essuyé les buées qui les avaient ternies. Le temps
changeait, mais d'une façon rapide qui n'était pas
bonne.

Et, de différents points de la mer, de différents
côtés de l'étendue, arrivaient des navires pêcheurs :
tous ceux de France qui rôdaient dans ces parages,
des Bretons, des Normands, des Boulonnais ou des

---

1. Un « vapeur » est un bateau à vapeur, tandis qu'un « croiseur »
est un navire de guerre rapide.

Dunkerquois. Comme des oiseaux qui rallient à un rappel, ils se rassemblaient à la suite de ce croiseur ; il en sortait même des coins vides de l'horizon, et leurs petites ailes grisâtres apparaissaient partout. Ils peuplaient tout à fait le pâle désert.

Plus de lente dérive, ils avaient tendu leurs voiles à la fraîche brise nouvelle et se donnaient de la vitesse pour s'approcher.

L'Islande, assez lointaine, était apparue aussi, avec un air de vouloir s'approcher comme eux ; elle montrait de plus en plus nettement ses grandes montagnes de pierres nues — qui n'ont jamais été éclairées que par côté, par en dessous et comme à regret. Elle se continuait même par une autre Islande de couleur semblable qui s'accentuait peu à peu — mais qui était chimérique, celle-ci, et dont les montagnes plus gigantesques n'étaient qu'une condensation de vapeurs. Et le soleil, toujours bas et traînant, incapable de monter au-dessus des choses, se voyait à travers cette illusion d'île, tellement qu'il paraissait posé devant et que c'était pour les yeux un aspect incompréhensible. Il n'avait plus de halo, et son disque rond ayant repris des contours très accusés, il semblait plutôt quelque pauvre planète jaune, mourante, qui se serait arrêtée là, indécise, au milieu d'un chaos...

Le croiseur, qui avait stoppé, était entouré maintenant de la pléiade des Islandais. De tous ces navires se détachaient des barques, en coquille de noix, lui amenant à bord des hommes rudes aux longues barbes, dans des accoutrements assez sauvages.

Ils avaient tous quelque chose à demander, un peu comme des enfants, des remèdes pour de petites blessures, des réparations, des vivres, des lettres.

D'autres venaient de la part de leurs capitaines se faire mettre aux fers, pour quelque mutinerie à expier ; ayant tous été au service de l'État, ils trouvaient la chose bien naturelle. Et quand le faux-pont étroit du croiseur fut encombré par quatre ou cinq de ces grands garçons étendus la boucle au pied, le

vieux maître [1] qui les avait cadenassés, leur dit :
« Couche-toi de travers donc, mes fils, qu'on puisse
passer », ce qu'ils firent docilement, avec un sourire.

Il y avait beaucoup de lettres cette fois, pour ces
Islandais. Entre autres, deux pour la *Marie, capitaine
Guermeur*, l'une *à monsieur Gaos, Yann*, la seconde à
*monsieur Moan, Sylvestre* (celle-ci arrivée par le Dane-
mark à Reykjavik, où le croiseur l'avait prise).

Le vaguemestre [2], puisant dans son sac en toile à
voile, leur faisait la distribution, ayant quelque peine
souvent à lire les adresses qui n'étaient pas toutes
mises par des mains très habiles.

Et le commandant disait :

« Dépêchez-vous, dépêchez-vous, le baromètre
baisse. »

Il s'ennuyait un peu de voir toutes ces petites
coquilles de noix amenées à la mer, et tant de
pêcheurs assemblés dans cette région peu sûre.

Yann et Sylvestre avaient l'habitude de lire leurs
lettres ensemble.

Cette fois, ce fut au soleil de minuit, qui les éclairait
du haut de l'horizon toujours avec son même aspect
d'astre mort.

Assis tous deux à l'écart, dans un coin du pont, les
bras enlacés et se tenant par les épaules, ils lisaient
très lentement, comme pour se mieux pénétrer des
choses du pays qui leur étaient dites.

Dans la lettre d'Yann, Sylvestre trouva des nouvelles de Marie Gaos, sa petite fiancée ; dans celle de
Sylvestre, Yann lut les histoires drôles de la vieille
grand-mère Yvonne, qui n'avait pas sa pareille pour
amuser les absents ; et puis le dernier alinéa qui le
concernait : « Le bonjour de ma part au fils Gaos. »

Et, les lettres finies de lire, Sylvestre timidement
montrait la sienne à son grand ami, pour essayer de lui
faire apprécier la main qui l'avait tracée :

1. « Maître » désigne le premier grade au-dessus de celui de
matelot.
2. Le « vaguemestre » est le sous-officier chargé du service postal.

« Regarde, c'est une très belle écriture, n'est-ce pas, Yann ? »

Mais Yann, qui savait très bien quelle était cette main de jeune fille, détourna la tête en secouant ses épaules, comme pour dire qu'on l'ennuyait à la fin avec cette Gaud.

Alors Sylvestre replia soigneusement le pauvre petit papier dédaigné, le remit dans son enveloppe et le serra dans son tricot contre sa poitrine, se disant tout triste :

« Bien sûr, ils ne se marieront jamais... Mais qu'est-ce qu'il peut avoir comme ça contre elle ?... »

... Minuit avait sonné à la cloche du croiseur. Et ils restaient toujours là, assis, songeant au pays, aux absents, à mille choses, dans un rêve...

À ce moment, l'éternel soleil, qui avait un peu trempé son bord dans les eaux, recommença à monter lentement.

Et ce fut le matin...

## DEUXIÈME PARTIE

## I

... Il avait aussi changé d'aspect et de couleur, le soleil d'Islande, et il ouvrait cette nouvelle journée par un matin sinistre. Tout à fait dégagé de son voile, il avait pris de grands rayons, qui traversaient le ciel comme des jets, annonçant le mauvais temps prochain.

Il faisait trop beau depuis quelques jours, cela devait finir. La brise soufflait sur ce conciliabule de bateaux, comme éprouvant le besoin de l'éparpiller, d'en débarrasser la mer ; et ils commençaient à se disperser, à fuir comme une armée en déroute — rien que devant cette menace écrite en l'air, à laquelle on ne pouvait plus se tromper.

Cela soufflait toujours plus fort, faisant frissonner les hommes et les navires.

Les lames, encore petites, se mettaient à courir les unes après les autres, à se grouper ; elles s'étaient marbrées d'abord d'une écume blanche qui s'étalait dessus en bavures ; ensuite, avec un grésillement, il en sortait des fumées ; on eût dit que ça cuisait, que ça brûlait ; — et le bruit aigre de tout cela augmentait de minute en minute.

On ne pensait plus à la pêche, mais à la manœuvre

seulement. Les lignes étaient depuis longtemps rentrées. Ils se hâtaient tous de s'en aller — les uns, pour chercher un abri dans les fjords, tenter d'arriver à temps ; d'autres, préférant dépasser la pointe sud d'Islande, trouvant plus sûr de prendre le large et d'avoir devant eux de l'espace libre pour filer vent arrière. Ils se voyaient encore un peu les uns les autres ; çà et là, dans les creux de lames, des voiles surgissaient, pauvres petites choses mouillées, fatiguées, fuyantes — mais tenant debout tout de même, comme ces jouets d'enfant en moelle de sureau que l'on couche en soufflant dessus, et qui toujours se redressent.

La grande panne [1] de nuages, qui s'était condensée à l'horizon de l'ouest avec un aspect d'île, se défaisait maintenant par le haut, et les lambeaux couraient dans le ciel. Elle semblait inépuisable, cette panne, le vent l'étendait, l'allongeait, l'étirait, en faisait sortir indéfiniment des rideaux obscurs, qu'il déployait dans le clair ciel jaune, devenu d'une lividité froide et profonde.

Toujours plus fort, ce grand souffle qui agitait toute chose.

Le croiseur était parti vers les abris d'Islande ; les pêcheurs restaient seuls sur cette mer remuée qui prenait un air mauvais et une teinte affreuse. Ils se pressaient, pour leurs dispositions de gros temps. Entre eux les distances augmentaient ; ils allaient se perdre de vue.

Les lames, frisées en volutes, continuaient de se courir après, de se réunir, de s'agripper les unes les autres pour devenir toujours plus hautes, et, entre elles, les vides se creusaient.

En quelques heures, tout était labouré, bouleversé dans cette région la veille si calme, et, au lieu du silence d'avant, on était assourdi de bruit. Changement à vue que toute cette agitation d'à présent,

1. La « panne » désigne, en termes maritimes, la voilure d'un navire. Le mot s'applique ici à une bande de nuages comparable à une voile.

inconsciente, inutile, qui s'était faite si vite. Dans quel but tout cela ?... Quel mystère de destruction aveugle !...

Les nuages achevaient de se déplier en l'air, venant toujours de l'ouest, se superposant, empressés, rapides, obscurcissant tout. Quelques déchirures jaunes restaient seules, par lesquelles le soleil envoyait d'en bas ses derniers rayons en gerbes. Et l'eau, verdâtre maintenant, était de plus en plus zébrée de baves blanches.

À midi, la *Marie* avait tout à fait pris son allure de mauvais temps ; ses écoutilles fermées et ses voiles réduites, elle bondissait souple et légère ; au milieu du désarroi qui commençait, elle avait un air de jouer comme font les gros marsouins que les tempêtes amusent. N'ayant plus que la misaine [1], elle *fuyait devant le temps,* suivant l'expression de marine qui désigne cette allure-là.

En haut, c'était devenu entièrement sombre, une voûte fermée, écrasante — avec quelques charbonnages plus noirs étendus dessus en taches informes ; cela semblait presque un dôme immobile, et il fallait regarder bien pour comprendre que c'était au contraire en plein vertige de mouvement : grandes nappes grises, se dépêchant de passer, et sans cesse remplacées par d'autres qui venaient du fond de l'horizon ; tentures de ténèbres, se dévidant comme d'un rouleau sans fin...

Elle fuyait devant le temps, la *Marie,* fuyait, toujours plus vite — et le temps fuyait aussi — devant je ne sais quoi de mystérieux et de terrible. La brise, la mer, la *Marie,* les nuages, tout était pris d'un même affolement de fuite et de vitesse dans le même sens. Ce qui détalait le plus vite, c'était le vent ; puis les grosses levées de houle, plus lourdes, plus lentes, courant après lui ; puis la *Marie* entraînée dans ce mouvement de tout. Les lames la poursuivaient, avec leurs crêtes blêmes qui se roulaient dans une perpétuelle

---

1. « Misaine » = voile basse du mât avant d'un navire.

chute, et elle — toujours rattrapée, toujours dépassée
— leur échappait tout de même, au moyen d'un
sillage habile qu'elle se faisait derrière, d'un remous
où leur fureur se brisait.

Et dans cette allure de *fuite,* ce qu'on éprouvait surtout, c'était une illusion de légèreté ; sans aucune
peine ni effort, on se sentait bondir. Quand la *Marie*
montait sur ces lames, c'était sans secousse comme si
le vent l'eût enlevée ; et sa redescente après était
comme une glissade, faisant éprouver ce tressaillement
du ventre qu'on a dans les chutes simulées des « chars
russes [1] » ou dans celles imaginaires des rêves. Elle
glissait comme à reculons, la montagne fuyante se
dérobant sous elle pour continuer de courir, et alors
elle était replongée dans un de ces grands creux qui
couraient aussi ; sans se meurtrir, elle en touchait le
fond horrible, dans un éclaboussement d'eau qui ne la
mouillait même pas, mais qui fuyait comme tout le
reste ; qui fuyait et s'évanouissait en avant comme de
la fumée, comme rien...

Au fond de ces creux, il faisait plus noir, et après
chaque lame passée, on regardait derrière soi arriver
l'autre ; l'autre encore plus grande, qui se dressait
toute verte par transparence ; qui se dépêchait
d'approcher, avec des contournements furieux, des
volutes prêtes à se refermer, un air de dire : « Attends
que je t'attrape, et je t'engouffre... »

... Mais non : elle vous soulevait seulement, comme
d'un haussement d'épaule on enlèverait une plume ;
et, presque doucement, on la sentait passer sous soi,
avec son écume bruissante, son fracas de cascade.

Et ainsi de suite, continuellement. Mais cela grossissait toujours. Ces lames se succédaient, plus
énormes, en longues chaînes de montagne dont les
vallées commençaient à faire peur. Et toute cette folie
de mouvement s'accélérait, sous un ciel de plus en
plus sombre, au milieu d'un bruit plus immense.

1. Les « chars russes » désignent les « montagnes russes », attraction des fêtes foraines, qui commencent à prendre leur essor.

C'était bien du très gros temps, et il fallait veiller. Mais, tant qu'on a devant soi de l'espace libre, de l'espace pour courir ! Et puis, justement la *Marie*, cette année-là, avait passé sa saison dans la partie la plus occidentale des pêcheries d'Islande ; alors toute cette fuite dans l'Est était autant de bonne route faite pour le retour.

Yann et Sylvestre étaient à la barre, attachés par la ceinture. Ils chantaient encore la chanson de *Jean-François de Nantes ;* grisés de mouvements et de vitesse, ils chantaient à pleine voix, riant de ne plus s'entendre au milieu de tout ce déchaînement de bruits, s'amusant à tourner la tête pour chanter contre le vent et perdre haleine.

« Eh ben, les enfants, ça sent-il le renfermé, là-haut ? » leur demandait Guermeur, passant sa figure barbue par l'écoutille entrebâillée, comme un diable prêt à sortir de sa boîte.

Oh ! non, ça ne sentait pas le renfermé, pour sûr.

Ils n'avaient pas peur, ayant la notion exacte de ce qui est *maniable,* ayant confiance dans la solidité de leur bateau, dans la force de leurs bras. Et aussi dans la protection de cette Vierge de faïence qui, depuis quarante années de voyages en Islande, avait dansé tant de fois cette mauvaise danse-là, toujours souriante entre ses bouquets de fausses fleurs...

> Jean-François de Nantes ;
> Jean-François,
> Jean-François !

En général, on ne voyait pas loin autour de soi ; à quelques centaines de mètres, tout paraissait finir en espèces d'épouvantes vagues, en crêtes blêmes qui se hérissaient, fermant la vue. On se croyait toujours au milieu d'une scène restreinte, bien que perpétuellement changeante ; et, d'ailleurs, les choses étaient noyées dans cette sorte de fumée d'eau qui fuyait en nuage, avec une extrême vitesse, sur toute la surface de la mer.

Mais, de temps à autre, une éclaircie se faisait vers le
nord-ouest d'où une *saute de vent* pouvait venir : alors
une lueur frisante arrivait de l'horizon ; un reflet traînant, faisant paraître plus sombre le dôme de ce ciel, se
répandait sur les crêtes blanches agitées. Et cette
éclaircie était triste à regarder ; ces lointains entrevus,
ces échappées serraient le cœur davantage en donnant
trop bien à comprendre que c'était le même chaos
partout, la même fureur — jusque derrière ces grands
horizons vides et infiniment au-delà : l'épouvante
n'avait pas de limites, et on était seul au milieu !

Une clameur géante sortait des choses comme un
prélude d'apocalypse jetant l'effroi des fins de monde.
Et on y distinguait des milliers de voix : d'en haut, il
en venait de sifflantes ou de profondes, qui semblaient
presque lointaines à force d'être immenses : cela,
c'était le vent, la grande âme de ce désordre, la puis-
sance invisible menant tout. Il faisait peur, mais il y
avait d'autres bruits, plus rapprochés, plus matériels,
plus menaçants de détruire, que rendait l'eau tourmentée, grésillant comme sur des braises...

Toujours cela grossissait.

Et, malgré leur allure de fuite, la mer commençait à
les couvrir, à les *manger,* comme ils disaient : d'abord
des embruns fouettant de l'arrière, puis de l'eau à
paquets, lancée avec une force à tout briser. Les lames
se faisaient toujours plus hautes, plus follement
hautes, et pourtant elles étaient déchiquetées à
mesure, on en voyait de grands lambeaux verdâtres,
qui étaient de l'eau retombante que le vent jetait partout. Il en tombait de lourdes masses sur le pont, avec
un bruit claquant et alors la *Marie* vibrait tout entière
comme de douleur. Maintenant on ne distinguait plus
rien, à cause de toute cette bave blanche, éparpillée ;
quand les rafales gémissaient plus fort, on la voyait
courir en tourbillons plus épais — comme, en été, la
poussière des routes. Une grosse pluie, qui était
venue, passait aussi tout en biais, horizontale, et ces
choses ensemble sifflaient, cinglaient, blessaient
comme des lanières.

Ils restaient tous deux à la barre, attachés et se tenant ferme, vêtus de leurs *cirages,* qui étaient durs et luisants comme des peaux de requins ; ils les avaient bien serrés au cou, par des ficelles goudronnées, bien serrés aux poignets et aux chevilles pour ne pas laisser d'eau passer, et tout ruisselait sur eux, qui enflaient le dos quand cela tombait plus dru, en s'arc-boutant bien pour ne pas être renversés. La peau des joues leur cuisait et ils avaient la respiration à toute minute coupée. Après chaque grande masse d'eau tombée, ils se regardaient — en souriant, à cause de tout ce sel amassé dans leur barbe.

À la longue pourtant, cela devenait une extrême fatigue, cette fureur qui ne s'apaisait pas, qui restait toujours à son même paroxysme exaspéré. Les rages des hommes, celles des bêtes s'épuisent et tombent vite ; il faut subir longtemps, longtemps celles des choses inertes qui sont sans cause et sans but, mystérieuses comme la vie et comme la mort.

> Jean-François de Nantes ;
> Jean-François,
> Jean-François !

À travers leurs lèvres devenues blanches, le refrain de la vieille chanson passait encore, mais comme une chose aphone, reprise de temps à autre inconsciemment. L'excès de mouvement et de bruit les avait rendus ivres ; ils avaient beau être jeunes, leurs sourires grimaçaient sur leurs dents entrechoquées par un tremblement de froid ; leurs yeux, à demi fermés sous les paupières brûlées qui battaient, restaient fixes dans une atonie farouche. Rivés à leur barre comme deux arcs-boutants de marbre, ils faisaient, avec leurs mains crispées et bleues, les efforts qu'il fallait, presque sans penser, par simple habitude des muscles. Les cheveux ruisselants, la bouche contractée, ils étaient devenus étranges, et en eux reparaissait tout un fond de sauvagerie primitive.

Ils ne se voyaient plus ! ils avaient conscience seu-

lement d'être encore là, à côté l'un de l'autre. Aux
instants plus dangereux, chaque fois que se dressait,
derrière, la montagne d'eau nouvelle, surplombante,
bruissante, horrible, heurtant leur bateau avec un
grand fracas sourd, une de leurs mains s'agitait pour
un signe de croix involontaire. Ils ne songeaient plus à
rien, ni à Gaud, ni à aucune femme, ni à aucun
mariage. Cela durait depuis trop longtemps, ils
n'avaient plus de pensées ; leur ivresse de bruit, de
fatigue et de froid obscurcissait tout dans leur tête. Ils
n'étaient plus que deux piliers de chair raidie qui
maintenaient cette barre ; que deux bêtes vigoureuses
cramponnées là par instinct pour ne pas mourir.

## II

..................................................................

... C'était en Bretagne, après la mi-septembre, par une journée déjà fraîche. Gaud cheminait toute seule sur la lande de Ploubazlanec, dans la direction de Pors-Even.

Depuis près d'un mois, les navires islandais étaient rentrés — moins deux qui avaient disparu dans ce coup de vent de juin. Mais la *Marie* ayant tenu bon, Yann et tous ceux du bord étaient au pays, tranquillement.

Gaud se sentait très troublée, à l'idée qu'elle se rendait chez ce Yann.

Une seule fois elle l'avait vu depuis le retour d'Islande ; c'était quand on était allé, tous ensemble, conduire le pauvre petit Sylvestre, à son départ pour le service. (On l'avait accompagné jusqu'à la diligence, lui, pleurant un peu, sa vieille grand-mère pleurant beaucoup et il était parti pour rejoindre le quartier de Brest.) Yann, qui était venu aussi pour embrasser son petit ami, avait fait mine de détourner les yeux quand elle l'avait regardé, et, comme il y avait beaucoup de monde autour de cette voiture, — d'autres inscrits [1] qui s'en allaient, des parents assemblés pour leur dire adieu — il n'y avait pas eu moyen de se parler.

1. « Inscrits » pour conscrits.

Alors, elle avait pris à la fin une grande résolution, et, un peu craintive, s'en allait chez les Gaos.

Son père avait eu jadis des intérêts communs avec celui d'Yann (de ces affaires compliquées qui, entre pêcheurs comme entre paysans, n'en finissent plus) et lui redevait une centaine de francs pour la vente d'une barque qui venait de se faire *à la part*.

« Vous devriez, avait-elle dit, me laisser lui porter cet argent, mon père ; d'abord je serais contente de voir Marie Gaos ; puis je ne suis jamais allée si loin en Ploubazlanec, et cela m'amuserait de faire cette grande course. »

Au fond, elle avait une curiosité anxieuse de cette famille d'Yann, où elle entrerait peut-être un jour, de cette maison, de ce village.

Dans une dernière causerie, Sylvestre, avant de partir, lui avait expliqué à sa manière la sauvagerie de son ami :

« Vois-tu, Gaud, c'est parce qu'il est comme cela ; il ne veut se marier avec personne, par idée à lui ; il n'aime bien que la mer, et même, un jour, par plaisanterie, il nous a dit lui avoir promis le mariage. »

Elle lui pardonnait donc ses manières d'être, et, retrouvant toujours dans sa mémoire son beau sourire franc de la nuit du bal, elle se reprenait à espérer.

Si elle le rencontrait là, au logis, elle ne lui dirait rien, bien sûr ; son intention n'était point de se montrer si osée. Mais lui, la revoyant de près, parlerait peut-être...

## III

Elle marchait depuis une heure, alerte, agitée, respirant la brise saine du large.

Il y avait de grands calvaires plantés aux carrefours des chemins.

De loin en loin, elle traversait de ces petits hameaux de marins qui sont toute l'année battus par le vent, et dont la couleur est celle des rochers. Dans l'un, où le sentier se rétrécissait tout à coup entre des murs sombres, entre de hauts toits en chaume pointus comme des huttes celtiques, une enseigne de cabaret la fit sourire : « Au cidre chinois », et on avait peint deux magots en robe vert et rose, avec des queues, buvant du cidre. Sans doute une fantaisie de quelque ancien matelot revenu de là-bas... En passant, elle regardait tout ; les gens qui sont très préoccupés par le but de leur voyage s'amusent toujours plus que les autres aux mille détails de la route.

Le petit village était loin derrière elle maintenant, et, à mesure qu'elle s'avançait sur ce dernier promontoire de la terre bretonne, les arbres se faisaient plus rares autour d'elle, la campagne plus triste.

Le terrain était ondulé, rocheux, et, de toutes les hauteurs, on voyait la grande mer. Plus d'arbres du tout à présent ; rien que la lande rase, aux ajoncs verts, et, çà et là, les divins crucifiés découpant sur le ciel leurs grands bras en croix, donnant à tout ce pays l'air d'un immense lieu de justice.

À un carrefour, gardé par un de ces christs énormes, elle hésita entre deux chemins qui fuyaient entre des talus d'épines.

Une petite fille qui arrivait se trouva à point pour la tirer d'embarras :

« Bonjour, mademoiselle Gaud ! »

C'était une petite Gaos, une petite sœur d'Yann. Après l'avoir embrassée, elle lui demanda si ses parents étaient à la maison.

« Papa et maman, oui. Il n'y a que mon frère Yann, dit la petite sans aucune malice, qui est allé à Loguivy ; mais je pense qu'il ne sera pas tard dehors. »

Il n'était pas là, lui ! Encore ce mauvais sort qui l'éloignait d'elle partout et toujours. Remettre sa visite à une autre fois, elle y pensa bien. Mais cette petite qui l'avait vue en route, qui pourrait parler... Que penserait-on de cela à Pors-Even ? Alors elle décida de poursuivre, en musant le plus possible afin de lui donner le temps de rentrer.

À mesure qu'elle approchait de ce village d'Yann, de cette pointe perdue, les choses devenaient toujours plus rudes et plus désolées. Ce grand air de mer qui faisait les hommes plus forts, faisait aussi les plantes plus basses, courtes, trapues, aplaties sur le sol dur. Dans le sentier, il y avait des goémons qui traînaient par terre, feuillages *d'ailleurs,* indiquant qu'un autre monde était voisin. Ils répandaient dans l'air leur odeur saline.

Gaud rencontrait quelquefois des passants, gens de mer, qu'on voyait à longue distance dans ce pays nu, se dessinant, comme agrandis, sur la ligne haute et lointaine des eaux. Pilotes ou pêcheurs, ils avaient toujours l'air de guetter au loin, de veiller sur le large ; en la croisant, ils lui disaient bonjour. Des figures brunies, très mâles et décidées, sous un bonnet de marin.

L'heure ne passait pas, et vraiment elle ne savait que faire pour allonger sa route ; ces gens s'étonnaient de la voir marcher si lentement.

Ce Yann, que faisait-il à Loguivy ? Il courtisait les filles peut-être...

Ah ! si elle avait su comme il s'en souciait peu, des

belles ! De temps en temps, si l'envie lui en prenait de quelqu'une, il n'avait en général qu'à se présenter. Les *fillettes de Paimpol*, comme dit la vieille chanson islandaise, sont un peu folles de leur corps, et ne résistent guère à un garçon aussi beau. Non, tout simplement, il était allé faire une commande à certain vannier de ce village, qui avait seul dans le pays la bonne manière pour tresser les *casiers* à prendre les homards. Sa tête était très libre d'amour en ce moment.

Elle arriva à une chapelle, qu'on apercevait de loin sur une hauteur. C'était une chapelle toute grise, très petite et très vieille ; au milieu de l'aridité d'alentour, un bouquet d'arbres, gris aussi et déjà sans feuilles, lui faisait des cheveux, des cheveux jetés tous du même côté, comme par une main qu'on y aurait passée.

Et cette main était celle aussi qui fait sombrer les barques des pêcheurs, main éternelle des vents d'ouest qui couche, dans le sens des lames et de la houle, les branches tordues des rivages. Ils avaient poussé de travers et échevelés, les vieux arbres, courbant le dos sous l'effort séculaire de cette main-là.

Gaud se trouvait presque au bout de sa course, puisque c'était la chapelle de Pors-Even ; alors elle s'y arrêta, pour gagner encore du temps.

Un petit mur croulant dessinait autour un enclos enfermant des croix. Et tout était de la même couleur, la chapelle, les arbres et les tombes ; le lieu tout entier semblait uniformément hâlé, rongé par le vent de la mer ; un même lichen grisâtre, avec ses taches d'un jaune pâle de soufre, couvrait les pierres, les branches noueuses, et les saints en granit qui se tenaient dans les niches du mur.

Sur une de ces croix de bois, un nom était écrit en grosses lettres : *Gaos, — Gaos, Joël, quatre-vingts ans.*

Ah ! oui, le grand-père ; elle savait cela. La mer n'en avait pas voulu, de ce vieux marin. Du reste, plusieurs des parents d'Yann devaient dormir dans cet enclos, c'était naturel, et elle aurait dû s'y attendre ; pourtant ce nom lu sur cette tombe lui faisait une impression pénible.

Afin de perdre un moment de plus, elle entra dire une prière sous ce porche antique, tout petit, usé, badigeonné de chaux blanche. Mais là elle s'arrêta, avec un plus fort serrement de cœur.

*Gaos !* encore ce nom, gravé sur une des plaques funéraires comme on en met pour garder le souvenir de ceux qui meurent au large.

Elle se mit à lire cette inscription :

En mémoire de
GAOS, JEAN-LOUIS,
âgé de 24 ans, matelot à bord de la *Marguerite,*
disparu en Islande, le 3 août 1877.
Qu'il repose en paix !

L'Islande — toujours l'Islande ! — Partout, à cette entrée de chapelle, étaient clouées d'autres plaques de bois, avec des noms de marins morts. C'était le coin des naufragés de Pors-Even, et elle regretta d'y être venue, prise d'un pressentiment noir. À Paimpol, dans l'église, elle avait vu des inscriptions pareilles ; mais ici, dans ce village, il était plus petit, plus fruste, plus sauvage, le tombeau vide des pêcheurs islandais. Il y avait de chaque côté un banc de granit, pour les veuves, pour les mères : et ce lieu bas, irrégulier comme une grotte, était gardé par une bonne vierge très ancienne, repeinte en rose, avec de gros yeux méchants, qui ressemblait à Cybèle, déesse primitive de la terre.

Gaos ! encore !

En mémoire de
GAOS, FRANÇOIS,
époux de Anne-Marie Le GOASTER,
capitaine à bord du *Paimpolais,*
perdu en Islande du 1er au 3 avril 1877,
avec vingt-trois hommes composant son équipage.
Qu'ils reposent en paix !

Et, en bas, deux os de mort en croix, sous un crâne

noir avec des yeux verts, peinture naïve et macabre, sentant encore la barbarie d'un autre âge.

Gaos ! partout ce nom !

Un autre Gaos s'appelait Yves, *enlevé du bord de son navire et disparu aux environs de Norden-Fiord en Islande, à l'âge de vingt-deux ans.* La plaque semblait être là depuis de longues années ; il devait être bien oublié, celui-là...

En lisant, il lui venait pour ce Yann des élans de tendresse douce, et un peu désespérée aussi. Jamais, non, jamais il ne serait à elle ! Comment le disputer à la mer, quand tant d'autres Gaos y avaient sombré, des ancêtres, des frères, qui devaient avoir avec lui des ressemblances profondes ?

Elle entra dans la chapelle, déjà obscure, à peine éclairée par ses fenêtres basses aux parois épaisses. Et là, le cœur plein de larmes qui voulaient tomber, elle s'agenouilla pour prier devant des saints et des saintes énormes, entourés de fleurs grossières, et qui touchaient la voûte avec leur tête. Dehors, le vent qui se levait commençait à gémir, comme rapportant au pays breton la plainte des jeunes hommes morts.

Le soir approchait ; il fallait pourtant bien se décider à faire sa visite et s'acquitter de sa commission.

Elle reprit sa route et, après s'être informée dans le village, elle trouva la maison des Gaos, qui était adossée à une haute falaise ; on y montait par une douzaine de marches en granit. Tremblant un peu à l'idée que Yann pouvait être revenu, elle traversa le jardinet où poussaient des chrysanthèmes et des véroniques [1].

En entrant, elle dit qu'elle apportait l'argent de cette barque vendue, et on la fit asseoir très poliment pour attendre le retour du père, qui lui signerait son reçu. Parmi tout ce monde qui était là, ses yeux cherchèrent Yann, mais elle ne le vit point.

1. Les « véroniques » sont des petites plantes herbacées à fleurs bleues.

On était fort occupé dans la maison. Sur une
grande table bien blanche, on taillait déjà à la pièce,
dans du coton neuf, des costumes appelés *cirages,*
pour la prochaine saison d'Islande.

« C'est que, voyez-vous mademoiselle Gaud, il leur
en faut à chacun deux rechanges complets pour
là-bas. »

On lui expliqua comment on s'y prenait après pour
les peindre et les cirer, ces tenues de misère. Et, pendant qu'on lui détaillait la chose, ses yeux parcou-
raient attentivement ce logis des Gaos.

Il était aménagé à la manière traditionnelle des
chaumières bretonnes ; une immense cheminée en
occupait le fond, et des lits en armoire s'étageaient sur
les côtés. Mais cela n'avait pas l'obscurité ni la mélancolie de ces gîtes des laboureurs, qui sont toujours à
demi enfouis au bord des chemins ; c'était clair et
propre, comme en général chez les gens de mer.

Plusieurs petits Gaos étaient là, garçons ou filles,
tous frères d'Yann — sans compter deux grands qui
naviguaient. Et, en plus, une bien petite blonde, triste
et proprette, qui ne ressemblait pas aux autres.

« Une que nous avons adoptée l'an dernier,
expliqua la mère ; nous en avions déjà beaucoup pourtant ; mais, que voulez-vous, mademoiselle Gaud ! son
père était de la *Marie-Dieu-t'aime,* qui s'est perdue en
Islande à la saison dernière, comme vous savez
— alors, entre voisins, on s'est partagé les cinq enfants
qui restaient et celle-ci nous est échue. »

Entendant qu'on parlait d'elle, la petite adoptée
baissait la tête et souriait en se cachant contre le petit
Laumec Gaos, qui était son préféré.

Il y avait un air d'aisance partout dans la maison, et
la fraîche santé se voyait épanouie sur toutes ces joues
roses d'enfants.

On mettait beaucoup d'empressement à recevoir
Gaud — comme une belle demoiselle dont la visite
était un honneur pour la famille. Par un escalier de
bois blanc tout neuf, on la fit monter dans la chambre
d'en haut qui était la gloire du logis. Elle se rappelait

bien l'histoire de la construction de cet étage ; c'était à la suite d'une trouvaille de bateau abandonné faite en Manche par le père Gaos et son cousin le pilote ; la nuit du bal, Yann lui avait raconté cela.

Cette chambre de l'épave était jolie et gaie dans sa blancheur toute neuve ; il y avait deux lits à la mode des villes, avec des rideaux en perse rose ; une grande table au milieu. Par la fenêtre, on voyait tout Paimpol, toute la rade, avec les *Islandais* là-bas, au mouillage — et la passe par où ils s'en vont.

Elle n'osait pas questionner, mais elle aurait bien voulu savoir où dormait Yann ; évidemment, tout enfant, il avait dû habiter en bas, dans quelqu'un de ces antiques lits en armoire. Mais, à présent, c'était peut-être ici, entre ces beaux rideaux roses. Elle aurait aimé être au courant des détails de sa vie, savoir surtout à quoi se passaient ses longues soirées d'hiver...

... Un pas un peu lourd dans l'escalier la fit tressaillir.

Non, ce n'était pas Yann, mais un homme qui lui ressemblait malgré ses cheveux déjà blancs, qui avait presque sa haute stature et qui était droit comme lui : le père Gaos rentrant de la pêche.

Après l'avoir saluée et s'être enquis des motifs de sa visite, il lui signa son reçu, ce qui fut un peu long, car sa main n'était plus, disait-il, très assurée. Cependant il n'acceptait pas ces cent francs comme un paiement définitif, le désintéressant de cette vente de barque ; non, mais comme un acompte seulement ; il en recauserait avec M. Mével. Et Gaud, à qui l'argent importait peu, fit un petit sourire imperceptible : allons, bon, cette histoire n'était pas encore finie, elle s'en était bien doutée ; d'ailleurs, cela l'arrangeait d'avoir encore des affaires mêlées avec les Gaos.

On s'excusait presque, dans la maison, de l'absence d'Yann, comme si on eût trouvé plus honnête que toute la famille fût là assemblée pour la recevoir. Le père avait peut-être même deviné, avec sa finesse de vieux matelot, que son fils n'était pas indifférent à

cette belle héritière ; car il mettait un peu d'insistance
à toujours reparler de lui :

« C'est bien étonnant, disait-il, il n'est jamais si tard
dehors. Il est allé à Loguivy, mademoiselle Gaud,
acheter des casiers pour prendre des homards ; comme
vous savez, c'est notre grande pêche de l'hiver. »

Elle, distraite, prolongeait sa visite, ayant cependant
conscience que c'était trop, et sentant un serrement
de cœur lui venir à l'idée qu'elle ne le verrait pas.

« Un homme sage comme lui, qu'est-ce qu'il peut
bien faire ? Au cabaret, il n'y est pas, bien sûr ; nous
n'avons pas cela à craindre avec notre fils. — Je ne dis
pas, une fois de temps en temps, le dimanche, avec
des camarades... Vous savez, mademoiselle Gaud, les
marins... Eh ! mon Dieu, quand on est jeune homme,
n'est-ce pas, pourquoi s'en priver tout à fait ?... Mais
la chose est bien rare avec lui, c'est un homme sage,
nous pouvons le dire. »

Cependant la nuit venait ; on avait replié les *cirages*
commencés, suspendu le travail. Les petits Gaos et la
petite adoptée, assis sur des bancs, se serraient les uns
aux autres, attristés par l'heure grise du soir, et regardaient Gaud, ayant l'air de se demander :

« À présent, pourquoi ne s'en va-t-elle pas ? »

Et, dans la cheminée, la flamme commençait à
éclairer rouge, au milieu du crépuscule qui tombait.

« Vous devriez rester manger la soupe avec nous,
mademoiselle Gaud. »

Oh ! non, elle ne le pouvait pas ; le sang lui monta
tout à coup au visage à la pensée d'être restée si tard.
Elle se leva et prit congé.

Le père de Yann s'était levé, lui aussi, pour
l'accompagner un bout de chemin, jusqu'au-delà de
certain bas-fond isolé où de vieux arbres font un passage noir.

Pendant qu'ils marchaient près l'un de l'autre, elle
se sentait prise pour lui de respect et de tendresse ;
elle avait envie de lui parler comme à un père, dans
des élans qui lui venaient ; puis les mots s'arrêtaient
dans sa gorge, et elle ne disait rien.

Ils s'en allaient, au vent froid du soir qui avait l'odeur de la mer, rencontrant çà et là, sur la rase lande, des chaumières déjà fermées, bien sombres, sous leur toiture bossue, pauvres nids où des pêcheurs étaient blottis ; rencontrant les croix, les ajoncs et les pierres.

Comme c'était loin, ce Pors-Even, et comme elle s'y était attardée !

Quelquefois ils croisaient des gens qui revenaient de Paimpol ou de Loguivy ; en regardant approcher ces silhouettes d'hommes, elle pensait chaque fois à lui, à Yann ; mais c'était aisé de le reconnaître à distance et vite elle était déçue. Ses pieds s'embarrassaient dans de longues plantes brunes, emmêlées comme des chevelures, qui étaient les goémons traînant à terre.

À la croix de Plouëzoc'h elle salua le vieillard, le priant de retourner. Les lumières de Paimpol se voyaient déjà, et il n'y avait plus aucune raison d'avoir peur.

Allons, c'était fini pour cette fois... Et qui sait à présent quand elle verrait Yann ?...

Pour retourner à Pors-Even, les prétextes ne lui auraient pas manqué, mais elle aurait eu trop mauvais air en recommençant cette visite. Il fallait être plus courageuse et plus fière. Si seulement Sylvestre, son petit confident, eût été là encore, elle l'aurait chargé peut-être d'aller trouver Yann de sa part, afin de le faire s'expliquer. Mais il était parti et pour combien d'années ?...

# IV

« Me marier ? disait Yann à ses parents le soir — me
marier ? Eh ! donc, mon Dieu, pour quoi faire ?
— Est-ce que je serai jamais si heureux qu'ici avec
vous ? Pas de soucis, pas de contestations avec personne et la bonne soupe toute chaude chaque soir,
quand je rentre de la mer... Oh ! je comprends bien,
allez, qu'il s'agit de celle qui est venue à la maison
aujourd'hui. D'abord, une fille si riche, en vouloir à de
pauvres gens comme nous, ça n'est pas assez clair à
mon gré. Et puis ni celle-là ni une autre, non, c'est
tout réfléchi, je ne me marie pas, ça n'est pas mon
idée. »

Ils se regardèrent en silence, les deux vieux Gaos,
désappointés profondément ; car, après en avoir causé
ensemble, ils croyaient être bien sûrs que cette jeune
fille ne refuserait pas leur beau Yann. Mais ils ne ten-
tèrent point d'insister, sachant combien ce serait inutile. Sa mère surtout baissa la tête et ne dit plus mot ;
elle respectait les volontés de ce fils, de cet aîné qui
avait presque rang de chef de famille ; bien qu'il fût
toujours très doux et très tendre avec elle, soumis plus
qu'un enfant pour les petites choses de la vie, il était
depuis longtemps son maître absolu pour les grandes,
échappant à toute pression avec une indépendance
tranquillement farouche.

Il ne veillait jamais tard, ayant l'habitude, comme
les autres pêcheurs, de se lever avant le jour. Et après

souper, dès huit heures, ayant jeté un dernier coup
d'œil de satisfaction à ses casiers de Loguivy, à ses
filets neufs, il commença de se déshabiller, l'esprit en
apparence fort calme ; puis il monta se coucher, dans
le lit à rideaux de perse rose qu'il partageait avec
Laumec, son petit frère.

V

... Depuis quinze jours, Sylvestre, le petit confident de Gaud, était au quartier de Brest ; — très dépaysé, mais très sage ; portant crânement son col bleu ouvert et son bonnet à pompon rouge ; superbe en matelot, avec son allure roulante et sa haute taille ; dans le fond, regrettant toujours sa bonne vieille grand-mère, et resté l'enfant innocent d'autrefois.

Un seul soir il s'était grisé, avec des *pays*, parce que c'est l'usage : ils étaient rentrés au quartier, toute une bande se donnant le bras, en chantant à tue-tête.

Un dimanche aussi, il était allé au théâtre dans les galeries hautes. On jouait un de ces grands drames où les matelots, s'exaspérant contre le traître, l'accueillent avec un *hou !* qu'ils poussent tous ensemble et qui fait un bruit profond comme le vent d'ouest. Il avait surtout trouvé qu'il y faisait très chaud, qu'on y manquait d'air et de place ; une tentative pour enlever son paletot lui avait valu une réprimande de l'officier de service. Et il s'était endormi sur la fin.

En rentrant à la caserne, passé minuit, il avait rencontré des dames d'un âge assez mûr, coiffées en cheveux [1], qui faisaient les cent pas sur leur trottoir.

« Écoute ici, joli garçon », disaient-elles avec de grosses voix rauques.

1. Les dames sont ici sans chapeau, ce qui marque leur condition plus que modeste.

Il avait bien compris tout de suite ce qu'elles voulaient, n'étant point si naïf qu'on aurait pu le croire.
Mais le souvenir, évoqué tout à coup, de sa vieille
grand-mère et de Marie Gaos l'avait fait passer devant
elles très dédaigneux, les toisant du haut de sa beauté
et de sa jeunesse avec un sourire de moquerie enfantine. Elles avaient même été fort étonnées, les belles,
de la réserve de ce matelot :

« As-tu vu celui-là !... Prends garde, sauve-toi, mon
fils ; sauve-toi vite, l'on va te manger. »

Et le bruit de choses fort vilaines qu'elles lui criaient
s'était perdu dans la rumeur vague qui emplissait les
rues, par cette nuit de dimanche.

Il se conduisait à Brest comme en Islande, comme
au large, il restait vierge. — Mais les autres ne se
moquaient pas de lui, parce qu'il était très fort, ce qui
inspire le respect aux marins.

# VI

Un jour on l'appela au bureau de sa compagnie ; on avait à lui annoncer qu'il était désigné pour la Chine, pour l'escadre de Formose !...

Il se doutait depuis longtemps que ça arriverait, ayant entendu dire à ceux qui lisaient les journaux que, par là-bas, la guerre n'en finissait plus. À cause de l'urgence du départ, on le prévenait en même temps qu'on ne pourrait pas lui donner la permission accordée d'ordinaire, pour les adieux, à ceux qui vont en campagne ; dans cinq jours, il faudrait faire son sac et s'en aller.

Il lui vint un trouble extrême : c'était le charme des grands voyages, de l'inconnu, de la guerre ; aussi l'angoisse de tout quitter, avec l'inquiétude vague de ne plus revenir.

Mille choses tourbillonnaient dans sa tête. Un grand bruit se faisait autour de lui, dans les salles du quartier, où quantité d'autres venaient d'être désignés aussi pour cette escadre de Chine.

Et vite il écrivit à sa pauvre vieille grand-mère, vite, au crayon, assis par terre, isolé dans une rêverie agitée, au milieu du va-et-vient et de la clameur de tous ces jeunes hommes qui, comme lui, allaient partir.

# VII

« Elle est un peu ancienne, son amoureuse ! »
disaient les autres, deux jours après, en riant derrière
lui ; c'est égal, ils ont l'air de bien s'entendre tout de
même.

Ils s'amusaient de le voir, pour la première fois, se
promener dans les rues de Recouvrance [1] avec une
femme au bras, comme tout le monde, se penchant
vers elle d'un air tendre, lui disant des choses qui
avaient l'air tout à fait douces.

Une petite personne à la tournure assez alerte, vue
de dos — des jupes un peu courtes, par exemple, pour
la mode du jour ; un petit châle brun, et une grande
coiffe de Paimpolaise.

Elle aussi, suspendue à son bras, se retournait vers
lui pour le regarder avec tendresse.

« Elle est un peu ancienne, l'amoureuse ! »

Ils disaient cela, les autres, sans grande malice,
voyant bien que c'était une bonne vieille grand-mère
venue de la campagne.

... Venue en hâte, prise d'une épouvante affreuse, à
la nouvelle du départ de son petit-fils : car cette guerre
de Chine [2] avait déjà coûté beaucoup de marins au
pays de Paimpol.

Ayant réuni toutes ses pauvres petites économies,
arrangé dans un carton sa belle robe des dimanches et
une coiffe de rechange, elle était partie pour
l'embrasser au moins encore une fois.

Tout droit elle avait été le demander à la caserne, et
d'abord l'adjudant de sa compagnie avait refusé de le
laisser sortir.

1. La « Recouvrance » est le port militaire de Brest.
2. La « guerre de Chine », plus communément appelée guerre du
Tonkin, a duré de 1883 à 1885. La France, après avoir en 1883
imposé son protectorat au Tonkin, eut à soutenir une guerre contre
la Chine. Loti y assista et consacra trois articles du *Figaro* à
dénoncer les méfaits des guerres coloniales, ce qui lui valut des
sanctions puisqu'il avait ainsi transgressé la règle d'obligation de
réserve imposée aux militaires.

« Si vous voulez réclamer, allez, ma bonne dame, allez vous adresser au capitaine, le voilà qui passe. »

Et carrément, elle y était allée. Celui-ci s'était laissé toucher.

« Envoyez Moan *se changer* », avait-il dit.

Et Moan, quatre à quatre, était monté se mettre en toilette de ville — tandis que la bonne vieille, pour l'amuser, comme toujours, faisait par-derrière à cet adjudant une fine grimace impayable, avec une révérence.

Ensuite, quand il reparut, le petit-fils bien décolleté dans sa tenue de sortie, elle avait été émerveillée de le trouver si beau : sa barbe noire, qu'un coiffeur lui avait taillée, était en pointe à la mode des marins de cette année-là, les liettes [1] de sa chemise ouverte étaient frisées menu, et son bonnet avait de longs rubans qui flottaient terminés par des ancres d'or.

Un instant elle s'était imaginé voir son fils Pierre qui, vingt ans auparavant, avait été lui aussi gabier [2] de la flotte, et le souvenir de ce long passé déjà enfui derrière elle, de tous ces morts, avait jeté furtivement sur l'heure présente une ombre triste.

Tristesse vite effacée. Ils étaient sortis bras dessus bras dessous, dans la joie d'être ensemble ; et c'est alors que, la prenant pour son amoureuse, on l'avait jugée « un peu ancienne ».

Elle l'avait emmené dîner, en partie fine, dans une auberge tenue par des Paimpolais, qu'on lui avait recommandée comme n'étant pas trop chère. Ensuite, se donnant le bras toujours, ils étaient allés dans Brest, regarder les étalages des boutiques. Et rien n'était si amusant que tout ce qu'elle trouvait à dire pour faire rire son petit-fils — en breton de Paimpol que les passants ne pouvaient pas comprendre.

1. La liette est un cordon de coton blanc qui, noué, sert à fermer une chemise. Mais la mode, chez les matelots, était alors à la chemise ouverte.
2. Le « gabier » est un marin chargé de la manœuvre des voiles.

## VIII

Elle était restée trois jours avec lui, trois jours de fête sur lesquels pesait un *après* bien sombre, autant dire trois jours de grâce.

Et enfin il avait bien fallu repartir, s'en retourner à Ploubazlanec. C'est que d'abord elle était au bout de son pauvre argent. Et puis Sylvestre embarquait le surlendemain, et les matelots sont toujours consignés inexorablement dans les quartiers, la veille des grands départs (un usage qui semble à première vue un peu barbare, mais qui est une précaution nécessaire contre les *bordées* qu'ils ont tendance à courir au moment de se mettre en campagne).

Oh ! ce dernier jour !... Elle avait eu beau faire, beau chercher dans sa tête pour dire encore des choses drôles à son petit-fils, elle n'avait rien trouvé, non, mais c'étaient des larmes qui avaient envie de venir, les sanglots qui, à chaque instant, lui montaient à la gorge. Suspendue à son bras, elle lui faisait mille recommandations qui, à lui aussi, donnaient l'envie de pleurer. Et ils avaient fini par entrer dans une église pour dire ensemble leurs prières.

C'est par le train du soir qu'elle s'en était allée. Pour économiser, ils s'étaient rendus à pied à la gare ; lui, portant son carton de voyage et la soutenant de son bras fort sur lequel elle s'appuyait de tout son poids. Elle était fatiguée, fatiguée, la pauvre vieille ; elle n'en pouvait plus, de s'être tant surmenée pendant trois ou quatre jours. Le dos tout courbé sous son châle brun, ne trouvant plus la force de se redresser, elle n'avait plus rien de jeunet dans la tournure et sentait bien toute l'accablante lourdeur de ses soixante-seize ans. À l'idée que c'était fini, que dans quelques minutes il faudrait le quitter, son cœur se déchirait d'une manière affreuse. Et c'était en Chine qu'il s'en allait, là-bas, à la tuerie ! Elle l'avait encore là, avec elle : elle le tenait encore de ses deux pauvres mains... et cependant, il partirait ; ni toute sa volonté,

ni toutes ses larmes, ni tout son désespoir de grand-
mère ne pourraient rien pour le garder !...

Embarrassée de son billet, de son panier de provisions, de ses mitaines, agitée, tremblante, elle lui faisait ses recommandations dernières auxquelles il
répondait tout bas par de petits *oui* bien soumis, la
tête penchée tendrement vers elle, la regardant avec
de bons yeux doux, son air de petit enfant.

« Allons, la vieille, il faut vous décider si vous voulez
partir ! »

La machine sifflait. Prise de la frayeur de manquer
le train, elle lui enleva des mains son carton — puis
laissa retomber la chose à terre, pour se pendre à son
cou dans un embrassement suprême.

On les regardait beaucoup dans cette gare, mais ils
ne donnaient plus envie de sourire à personne.
Poussée par les employés, épuisée, perdue, elle se jeta
dans le premier compartiment venu, dont on lui
referma brusquement la portière sur les talons, tandis
que, lui prenait sa course légère de matelot, décrivait
une courbe d'oiseau qui s'envole, afin de faire le tour
et d'arriver à la barrière, dehors, à temps pour la voir
passer.

Un grand coup de sifflet, l'ébranlement bruyant des
roues — la grand-mère passa. — Lui, contre cette
barrière, agitait avec une grâce juvénile son bonnet à
rubans flottants, et elle, penchée à la fenêtre de son
wagon de troisième, faisait signe avec son mouchoir
pour être mieux reconnue. Si longtemps qu'elle put, si
longtemps qu'elle distingua cette forme bleu noir qui
était encore son petit-fils, elle le suivit des yeux, lui
jetant de toute son âme cet « au revoir » toujours incertain que l'on dit aux marins quand ils s'en vont.

Regarde-le bien, pauvre vieille femme, ce petit Sylvestre ; jusqu'à la dernière minute, suis bien sa silhouette fuyante, qui s'efface là-bas pour jamais...

Et, quand elle ne le vit plus, elle retomba assise,
sans souci de froisser sa belle coiffe, pleurant à sanglots, dans une angoisse de mort...

Lui, s'en retournait lentement, tête baissée, avec de

grosses larmes descendant sur ses joues. La nuit
d'automne était venue, le gaz allumé partout, la fête
des matelots commencée. Sans prendre garde à rien, il
traversa Brest, puis le pont de Recouvrance, se rendant au quartier.

« Écoute ici, joli garçon », disaient déjà les voix
enrouées de ces dames qui avaient commencé leurs
cent pas sur les trottoirs.

Il rentra se coucher dans son hamac, et pleura tout
seul, dormant à peine jusqu'au matin.

# IX

..................................................................

... Il avait pris le large, emporté très vite sur des mers inconnues, beaucoup plus bleues que celle de l'Islande.

Le navire qui le conduisait en extrême Asie avait ordre de se hâter, de brûler les relâches.

Déjà il avait conscience d'être bien loin, à cause de cette vitesse qui était incessante, égale, qui allait toujours, presque sans souci du vent ni de la mer. Étant gabier, il vivait dans sa mâture, perché comme un oiseau, évitant ces soldats entassés sur le pont, cette cohue d'en bas.

On s'était arrêté deux fois sur la côte de Tunis, pour prendre encore des zouaves et des mulets ; de très loin il avait aperçu des villes blanches sur des sables ou des montagnes. Il était même descendu de sa hune pour regarder curieusement des hommes très bruns, drapés de voiles blancs, qui étaient venus dans des barques pour vendre des fruits : les autres lui avaient dit que c'était ça, les Bédouins [1].

Cette chaleur et ce soleil, qui persistaient toujours, malgré la saison d'automne, lui donnaient l'impression d'un dépaysement extrême.

Un jour, on était arrivé à une ville appelée Port-

1. Un « Bédouin » est un Arabe nomade du désert.

Saïd [1]. Tous les pavillons d'Europe flottaient dessus au bout de longues hampes, lui donnant un air de Babel [2] en fête, et des sables miroitants l'entouraient comme une mer. On avait mouillé là à toucher les quais, presque au milieu des longues rues à maisons de bois. Jamais, depuis le départ, il n'avait vu si clair et de si près le monde du dehors, et cela l'avait distrait, cette agitation, cette profusion de bateaux.

Avec un bruit continuel de sifflets et de sirènes à vapeur, tous ces navires s'engouffraient dans une sorte de long canal, étroit comme un fossé, qui fuyait en ligne argentée dans l'infini de ces sables. Du haut de sa hune [3], il les voyait s'en aller comme en procession pour se perdre dans les plaines.

Sur ces quais circulaient toute espèce de costumes ; des hommes en robes de toutes les couleurs, affairés, criant, dans le grand coup de feu du transit. Et le soir, aux sifflets diaboliques des machines, étaient venus se mêler les tapages confus de plusieurs orchestres, jouant des choses bruyantes comme pour endormir les regrets déchirants de tous les exilés qui passaient.

Le lendemain, dès le soleil levé, ils étaient entrés eux aussi dans l'étroit ruban d'eau entre les sables, suivis d'une queue de bateaux de tous les pays. Cela avait duré deux jours, cette promenade à la file dans le désert ; puis une autre mer s'était ouverte devant eux, et ils avaient repris le large.

On marchait à toute vitesse toujours ; cette mer plus chaude avait à sa surface des marbrures rouges et quelquefois l'écume battue du sillage avait la couleur du sang. Il vivait presque tout le temps dans sa hune, se chantant tout bas à lui-même *Jean-François de Nantes*, pour se rappeler son frère Yann, l'Islande, le bon temps passé.

Quelquefois, dans le fond des lointains pleins de mirages, il voyait apparaître quelque montagne de

1. Port-Saïd est un port d'Égypte.
2. Babel est le nom hébreu de Babylone.
3. La « hune » est la plate-forme ronde qui se trouve sur la partie haute d'un mât.

nuance extraordinaire. Ceux qui menaient le navire connaissaient sans doute, malgré l'éloignement et le vague, ces caps avancés des continents qui sont comme des points de repère éternels sur les grands chemins du monde. Mais, quand on est gabier, on navigue emporté comme une chose, sans rien savoir, ignorant les distances et les mesures sur l'étendue qui ne finit pas.

Lui, n'avait que la notion d'un éloignement effroyable qui augmentait toujours ; mais il en avait la notion très nette, en regardant de haut ce sillage, bruissant, rapide, qui fuyait derrière ; en comptant depuis combien durait cette vitesse qui ne ralentissait ni jour ni nuit.

En bas, sur le pont, la foule, les hommes entassés à l'ombre des tentes, haletaient avec accablement. L'eau, l'air, la lumière avaient pris une splendeur morne, écrasante ; et la fête éternelle de ces choses était comme une ironie pour les êtres, pour les existences organisées qui sont éphémères.

... Une fois, dans sa hune, il fut très amusé par des nuées de petits oiseaux, d'espèce inconnue, qui vinrent se jeter sur le navire comme des tourbillons de poussière noire. Ils se laissaient prendre et caresser, n'en pouvant plus. Tous les gabiers en avaient sur leurs épaules.

Mais bientôt les plus fatigués commencèrent à mourir.

... Ils mouraient par milliers, sur les vergues [1], sur les sabords [2], ces tout petits, au soleil terrible de la mer Rouge.

Ils étaient venus de par-delà les grands déserts, poussés par un vent de tempête. Par peur de tomber dans cet infini bleu qui était partout, ils s'étaient abattus, d'un dernier vol épuisé, sur ce bateau qui passait. Là-bas, au fond de quelque région lointaine de la Libye, leur race avait pullulé dans des amours

1. La « vergue » est une longue pièce de bois placée en travers du mât, et destinée à soutenir la voile.
2. Le « sabord » est une ouverture quadrangulaire pratiquée dans la coque du navire pour servir de passage à la bouche des canons.

exubérantes. Leur race avait pullulé sans mesure, et il y en avait eu trop ; alors la mère aveugle, et sans âme, la mère nature, avait chassé d'un souffle cet excès de petits oiseaux avec la même impassibilité que s'il se fût agi d'une génération d'hommes.

Et ils mouraient tous sur ces ferrures chaudes du navire : le pont était jonché de leurs petits corps qui hier palpitaient de vie, de chants et d'amour... Petites loques noires, aux plumes mouillées, Sylvestre et les gabiers les ramassaient, étendant dans leurs mains, d'un air de commisération, ces fines ailes bleuâtres — et puis les poussaient au grand néant de la mer, à coups de balai...

Ensuite passèrent des sauterelles, filles de celles de Moïse, et le navire en fut couvert.

Puis on naviga encore plusieurs jours dans du bleu inaltérable où on ne voyait plus rien de vivant — si ce n'est des poissons quelquefois, qui volaient au ras de l'eau...

# X

... De la pluie, à torrents, sous un ciel lourd et tout noir — c'était l'Inde. Sylvestre venait de mettre le pied sur cette terre-là, le hasard l'ayant fait choisir à bord pour compléter l'*armement* d'une baleinière.

À travers l'épaisseur des feuillages, il recevait l'ondée tiède, et regardait autour de lui les choses étranges. Tout était magnifiquement vert ; les feuilles des arbres étaient faites comme des plumes gigantesques, et les gens qui se promenaient avaient de grands yeux veloutés qui semblaient se fermer sous le poids de leurs cils. Le vent qui poussait cette pluie sentait le musc et les fleurs.

Des femmes lui faisaient signe de venir : quelque chose comme le *Écoute ici, joli garçon,* entendu maintes fois dans Brest. Mais, au milieu de ce pays enchanté, leur appel était troublant et faisait passer des frissons dans la chair. Leurs poitrines superbes se bombaient sous les mousselines transparentes qui les drapaient ; elles étaient fauves et polies comme du bronze.

Hésitant encore, et pourtant fasciné par elles, il s'avançait déjà, peu à peu, pour les suivre...

... Mais voici qu'un petit coup de sifflet de marine, modulé en trilles d'oiseau, le rappela brusquement dans sa baleinière qui allait repartir.

Il prit sa course — et adieu les belles de l'Inde. Quand on se retrouva au large le soir, il était encore vierge comme un enfant.

Après une nouvelle semaine de mer bleue, on s'arrêta dans un autre pays de pluie et de verdure. Une nuée de bonshommes jaunes, qui poussaient des cris, envahit tout de suite le bord, apportant du charbon dans des paniers.

« Alors, nous sommes donc déjà en Chine ? » demanda Sylvestre, voyant qu'ils avaient tous des figures de magot et des queues.

On lui dit que non ; encore un peu de patience : ce n'était que Singapour. Il remonta dans sa hune, pour éviter la poussière noirâtre que le vent promenait, tandis que le charbon des milliers de petits paniers s'entassaient fiévreusement dans les soutes.

Enfin on arriva un jour dans un pays appelé Tourane [1], où se trouvait au mouillage une certaine *Circé* tenant un blocus. C'était le bateau auquel il se savait depuis longtemps destiné, et on l'y déposa avec son sac.

Il y retrouva des *pays*, même deux Islandais qui, pour le moment, étaient canonniers.

Le soir, par ces temps toujours chauds et tranquilles où il n'y avait rien à faire, ils se réunissaient sur le pont, isolés des autres, pour former ensemble une petite Bretagne de souvenir.

Il dut passer cinq mois d'inaction et d'exil dans cette baie triste, avant le moment désiré d'aller se battre.

1. Désigne Da-Nang, base navale au sud de l'actuel Vietnam.

# XI

Paimpol — le dernier jour de février — veille du départ des pêcheurs pour l'Islande.

Gaud se tenait debout contre la porte de sa chambre, immobile et devenue très pâle.

C'est que Yann était en bas, à causer avec son père. Elle l'avait vu venir, et elle entendait vaguement résonner sa voix.

Ils ne s'étaient pas rencontrés de tout l'hiver, comme si une fatalité les eût toujours éloignés l'un de l'autre.

Après sa course à Pors-Even, elle avait fondé quelque espérance sur le *pardon des Islandais,* où l'on a beaucoup d'occasions de se voir et de causer, sur la place, le soir, dans les groupes. Mais, dès le matin de cette fête, les rues étant déjà tendues de blanc, ornées de guirlandes vertes, une mauvaise pluie s'était mise à tomber à torrents, chassée de l'ouest par une brise gémissante sur Paimpol, on n'avait jamais vu le ciel si noir. « Allons, ceux de Ploubazlanec ne viendront pas », avaient dit tristement les filles qui avaient leurs amoureux de ce côté-là. Et en effet ils n'étaient pas venus, ou bien s'étaient vite enfermés à boire. Pas de procession, pas de promenade, et elle, le cœur plus serré que de coutume, était restée derrière ses vitres toute la soirée, écoutant ruisseler l'eau des toits et

monter du fond des cabarets les chants bruyants des
pêcheurs.

Depuis quelques jours, elle avait prévu cette visite
d'Yann, se doutant bien que, pour cette affaire de
vente de barque non encore réglée, le père Gaos, qui
n'aimait pas venir à Paimpol, enverrait son fils. Alors
elle s'était promis qu'elle irait à lui, ce que les filles ne
font pas d'ordinaire, qu'elle lui parlerait pour en avoir
le cœur net. Elle lui reprocherait de l'avoir troublée,
puis abandonnée, à la manière des garçons qui n'ont
pas d'honneur. Entêtement, sauvagerie, attachement
au métier de la mer, ou crainte d'un refus... si tous ces
obstacles indiqués par Sylvestre étaient les seuls, ils
pourraient bien tomber, qui sait ! après un entretien
franc comme serait le leur. Et alors, peut-être, reparaîtrait son beau sourire, qui arrangerait tout — ce
même sourire, qui l'avait tant surprise et charmée
l'hiver d'avant, pendant certaine nuit de bal passée
tout entière à valser entre ses bras. Et cet espoir lui
rendait du courage, l'emplissait d'une impatience
presque douce.

De loin, tout paraît toujours si facile, si simple à
dire et à faire.

Et, précisément, cette visite d'Yann tombait à une
heure choisie : et elle était sûre que son père, en ce
moment assis à fumer, ne se dérangerait pas pour le
reconduire ; donc, dans le corridor où il n'y aurait personne, elle pourrait avoir enfin son explication avec lui.

Mais voici qu'à présent, le moment venu, cette hardiesse lui semblait extrême. L'idée seulement de le
rencontrer, de le voir face à face au pied de ces marches la faisait trembler. Son cœur battait à se rompre... Et dire que, d'un moment à l'autre cette porte
en bas allait s'ouvrir — avec le petit bruit grinçant
qu'elle connaissait bien — pour lui donner passage !

Non, décidément, elle n'oserait jamais ; plutôt se
consumer d'attente et mourir de chagrin, que tenter
une chose pareille. Et déjà elle avait fait quelques pas
pour retourner au fond de sa chambre, s'asseoir et
travailler.

Mais elle s'arrêta encore, hésitante, effarée, se rappelant que c'était demain le départ pour l'Islande, et que cette occasion de le voir était unique. Il faudrait donc, si elle le manquait, recommencer des mois de solitude et d'attente, languir après son retour, perdre encore tout un été de sa vie...

En bas, la porte s'ouvrit : Yann sortait ! Brusquement résolue, elle descendit en courant l'escalier, et arriva, tremblante, se planter devant lui.

« Monsieur Yann, je voudrais vous parler, s'il vous plaît.

— À moi !... mademoiselle Gaud ?... » dit-il en baissant la voix, portant la main à son chapeau.

Il la regardait d'un air sauvage, avec ses yeux vifs, la tête rejetée en arrière, l'expression dure, ayant même l'air de se demander si seulement il s'arrêterait. Un pied en avant, prêt à fuir, il plaquait ses larges épaules à la muraille, comme pour être moins près d'elle dans ce couloir étroit où il se voyait pris.

Glacée, alors, elle ne retrouvait plus rien de ce qu'elle avait préparé pour lui dire : elle n'avait pas prévu qu'il pourrait lui faire cet affront-là, de passer sans l'avoir écoutée...

« Est-ce que notre maison vous fait peur, monsieur Yann ? » demanda-t-elle d'un ton sec et bizarre, qui n'était pas celui qu'elle voulait avoir.

Lui, détournait les yeux, regardant dehors. Ses joues étaient devenues très rouges, une montée de sang lui brûlait le visage, et ses narines mobiles se dilataient à chaque respiration, suivant les mouvements de sa poitrine, comme celles des taureaux.

Elle essaya de continuer :

« Le soir du bal où nous étions ensemble, vous m'aviez dit au revoir comme on ne le dit pas à une indifférente... Monsieur Yann, vous êtes sans mémoire donc... Que vous ai-je fait ?... »

... Le mauvais vent d'ouest qui s'engouffrait là, venant de la rue, agitait les cheveux d'Yann, les ailes de la coiffe de Gaud et, derrière eux, fit furieusement battre une porte. On était mal dans ce corridor pour parler de choses graves. Après ces premières phrases, étranglées dans sa gorge, Gaud restait muette, sentant tourner sa tête, n'ayant plus d'idées. Ils s'étaient avancés vers la porte de la rue, lui, fuyant toujours.

Dehors, il ventait avec un grand bruit et le ciel était noir. Par cette porte ouverte, un éclairage livide et triste tombait en plein sur leurs figures. Et une voisine d'en face les regardait : qu'est-ce qu'ils pouvaient se dire, ces deux-là, dans ce corridor, avec des airs si troubles ? qu'est-ce qui se passait donc chez les Mével ?

« Non, mademoiselle Gaud, répondit-il à la fin en se dégageant avec une aisance de fauve. — Déjà j'en ai entendu dans le pays, qui parlaient sur nous... Non, mademoiselle Gaud... Vous êtes riche, nous ne sommes pas gens de la même classe. Je ne suis pas un garçon à venir chez vous, moi... »

Et il s'en alla...

Ainsi tout était fini, fini à jamais. Et elle n'avait même rien dit de ce qu'elle voulait dire, dans cette entrevue qui n'avait réussi qu'à la faire passer à ses yeux pour une effrontée... Quel garçon était-il donc, ce Yann, avec son dédain des filles, son dédain de l'argent, son dédain de tout !...

Elle restait d'abord clouée sur place, voyant les choses remuer autour d'elle, avec du vertige...

Et puis une idée, plus intolérable que toutes, lui vint comme un éclair : des camarades d'Yann, des Islandais, faisaient les cent pas sur la place, l'attendant ! S'il allait leur raconter cela, s'amuser d'elle, comme ce serait un affront encore plus odieux ! Elle remonta vite dans sa chambre, pour les observer à travers ses rideaux...

Devant la maison, elle vit en effet le groupe de ces hommes. Mais ils regardaient tout simplement le temps, qui devenait de plus en plus sombre, et faisaient des conjectures sur la grande pluie menaçante, disant :

« Ce n'est qu'un grain ; entrons boire, tandis que ça passera. »

Et puis ils plaisantèrent à haute voix sur Jeannie

Caroff, sur différentes belles ; mais aucun ne se retourna vers sa fenêtre.

Ils étaient gais tous, excepté lui qui ne répondait pas, ne souriait pas, mais demeurait grave et triste. Il n'entra point boire avec les autres et, sans plus prendre garde à eux ni à la pluie commencée, marchant lentement sous l'averse comme quelqu'un absorbé dans une rêverie, il traversa la place, dans la direction de Ploubazlanec...

Alors elle lui pardonna tout, et un sentiment de tendresse sans espoir prit la place de l'amer dépit qui lui était d'abord monté au cœur.

Elle s'assit, la tête dans ses mains. Que faire à présent ?

Oh ! s'il avait pu l'écouter rien qu'un moment ; plutôt, s'il pouvait venir là, seul avec elle dans cette chambre où on se parlerait en paix, tout s'expliquerait peut-être encore.

Elle l'aimait assez pour oser le lui avouer en face. Elle lui dirait : « Vous m'avez cherchée quand je ne vous demandais rien ; à présent, je suis à vous de toute mon âme si vous me voulez ; voyez, je ne redoute pas de devenir la femme d'un pêcheur, et cependant, parmi les garçons de Paimpol, je n'aurais qu'à choisir si j'en désirais un pour mari ; mais je vous aime, vous, parce que, malgré tout, je vous crois meilleur que les autres jeunes hommes ; je suis un peu riche, je sais que je suis jolie ; bien que j'aie habité dans les villes, je vous jure que je suis une fille sage, n'ayant jamais rien fait de mal ; alors, puisque je vous aime tant, pourquoi ne me prendriez-vous pas ? »

... Mais tout cela ne serait jamais exprimé, jamais dit qu'en rêve : il était trop tard, Yann ne l'entendrait point. Tenter de lui parler une seconde fois... oh ! non ! pour quelle espèce de créature la prendrait-il, alors !... Elle aimerait mieux mourir.

Et demain, ils partaient tous pour l'Islande !

Seule dans sa belle chambre, où entrait le jour blanchâtre de février, ayant froid, assise au hasard sur une des chaises rangées le long du mur, il lui semblait voir crouler le monde, avec les choses présentes et les choses à venir, au fond d'un vide morne, effroyable, qui venait de se creuser partout autour d'elle.

Elle souhaitait être débarrassée de la vie, être déjà couchée, bien tranquille sous une pierre, pour ne plus souffrir... Mais, vraiment, elle lui pardonnait, et aucune haine n'était mêlée à son amour désespéré pour lui...

# XII

..............................................................

La mer, la mer grise.

Sur la grand-route non tracée qui mène, chaque été, les pêcheurs en Islande, Yann filait doucement depuis un jour.

La veille, quand on était parti au chant des vieux cantiques, il soufflait une brise du sud, et tous les navires, couverts de voiles, s'étaient dispersés comme des mouettes.

Puis cette brise était devenue plus molle, et les marches s'étaient ralenties ; des bancs de brume voyageaient au ras des eaux.

Yann était peut-être plus silencieux que d'habitude. Il se plaignait du temps trop calme et paraissait avoir besoin de s'agiter, pour chasser de son esprit quelque obsession. Il n'y avait pourtant rien à faire, qu'à glisser tranquillement au milieu de choses tranquilles ; rien qu'à respirer et à se laisser vivre. En regardant on ne voyait que des grisailles profondes ; en écoutant, on n'entendait que du silence.

... Tout à coup, un bruit sourd, à peine perceptible, mais inusité et venu d'en dessous avec une sensation de raclement, comme en voiture lorsque l'on serre les freins des roues ! Et la *Marie*, cessant sa marche, demeura immobilisée...

Échoués ! ! ! ! où et sur quoi ? Quelque banc de la

côte anglaise, probablement. Aussi, on ne voyait rien depuis la veille au soir, avec ces brumes en rideaux.

Les hommes s'agitaient, couraient, et leur excitation de mouvement contrastait avec cette tranquillité brusque, figée, de leur navire. Voilà, elle s'était arrêtée à cette place, la *Marie*, et n'en bougeait plus. Au milieu de cette immensité de choses fluides, qui, par ces temps mous, semblaient n'avoir même pas de consistance, elle avait été saisie par je ne sais quoi de résistant et d'immuable qui était dissimulé sous ces eaux ; elle y était bien prise, et risquait peut-être d'y mourir.

Qui n'a vu un pauvre oiseau, une pauvre mouche s'attraper par les pattes à de la glu ?

D'abord on ne s'en aperçoit guère ; cela ne change pas leur aspect ; il faut savoir qu'ils sont pris par en dessous et en danger de ne s'en tirer jamais.

C'est quand ils se débattent ensuite, que la chose collante vient souiller leurs ailes, leur tête, et que, peu à peu, ils prennent cet air pitoyable d'une bête en détresse qui va mourir.

Pour la *Marie*, c'était ainsi ; au commencement cela ne paraissait pas beaucoup ; elle se tenait bien un peu inclinée, il est vrai, mais c'était en plein matin, par un beau temps calme ; il fallait *savoir* pour s'inquiéter et comprendre que c'était grave.

Le capitaine faisait un peu pitié, lui qui avait commis la faute en ne s'occupant pas assez du point où l'on était : il secouait ses mains en l'air, en disant :

« *Ma Doué ! ma Doué !* » sur un ton de désespoir.

Tout près d'eux, dans une éclaircie, se dessina un cap qu'ils ne reconnaissaient pas bien. Il s'embruma presque aussitôt : on ne le distingua plus.

D'ailleurs, aucune voile en vue, aucune fumée. — Et pour le moment, ils aimaient presque mieux cela : ils avaient grande crainte de ces sauveteurs anglais qui viennent de force vous tirer de peine à leur manière, et dont il faut se défendre comme des pirates.

Ils se démenaient tous, changeant, chavirant l'arrimage. Turc, leur chien, qui ne craignait pourtant pas les mouvements de la mer, était très émotionné, lui

aussi, par cet incident : ces bruits d'en dessous, ces
secousses dures quand la houle passait, et puis ces
immobilités, il comprenait très bien que tout cela
n'était pas naturel, et se cachait dans les coins, la
queue basse.

Après, ils amenèrent des embarcations pour
mouiller des ancres, essayer de se *déhaler* [1], en réunis-
sant toutes leurs forces sur des amarres — une rude
manœuvre qui dura dix heures d'affilée — et, le soir
venu, le pauvre bateau, arrivé le matin si propre et
pimpant, prenait déjà mauvaise figure, inondé, souillé,
en plein désarroi. Il s'était débattu, secoué de toutes
les manières et restait toujours là, cloué comme un
bateau mort.

..............................................................................

La nuit allait les prendre, le vent se levait et la houle
était plus haute ; cela tournait mal, quand, tout à
coup, vers six heures, les voilà dégagés, partis, cassant
les amarres qu'ils avaient laissées pour se tenir... Alors
on vit les hommes courir comme des fous de l'avant à
l'arrière en criant :

« Nous flottons ! »

Ils flottaient en effet ; mais comment dire cette
joie-là, de *flotter* ; de se sentir s'en aller, redevenir une
chose légère, vivante, au lieu d'un commencement
d'épave qu'on était tout à l'heure !

Et, du même coup, la tristesse d'Yann s'était
envolée aussi. Allégé comme son bateau, guéri par la
saine fatigue de ses bras, il avait retrouvé son air
insouciant, secoué ses souvenirs.

Le lendemain matin, quand on eut fini de relever
les ancres, il continua sa route vers sa froide Islande,
le cœur en apparence aussi libre que dans ses premières années.

---

1. « Se déhaler », c'est se déplacer au moyen des amarres, pour se
dégager d'une situation dangereuse.

# XIII

..............................................................

On distribuait un courrier de France, là-bas, à bord de la *Circé,* en rade d'Ha-Long [1], à l'autre bout de la terre. Au milieu d'un groupe serré de matelots, le vaguemestre appelait à haute voix les noms des heureux qui avaient des lettres. Cela se passait le soir, dans la batterie, en se bousculant autour d'un fanal.

« Moan, Sylvestre ! » — Il y en avait une pour lui, une qui était bien timbrée de Paimpol — mais ce n'était pas l'écriture de Gaud. — Qu'est-ce que cela voulait dire ? Et de qui venait-elle ?

L'ayant tournée et retournée, il l'ouvrit craintivement.

*Ploubazlanec, ce 5 mars 1884.*

« Mon cher petit-fils, »

..............................................................

C'était bien de sa bonne vieille grand-mère ; alors il respira mieux. Elle avait même apposé au bas sa grosse signature apprise par cœur, toute tremblée et écolière : « Veuve Moan. »

Veuve Moan. Il porta le papier à ses lèvres, d'un

1. Baie proche de Haiphong, au Vietnam.

mouvement irréfléchi, et embrassa ce pauvre nom comme une sainte amulette. C'est que cette lettre arrivait à une heure suprême de sa vie : demain matin, dès le jour, il partait pour aller au feu.

On était au milieu d'avril ; Bac-Ninh et Hong-Hoa [1] venaient d'être pris. Aucune grande opération n'était prochaine dans ce Tonkin — pourtant les renforts qui arrivaient ne suffisaient pas — alors on prenait à bord des navires tout ce qu'ils pouvaient encore donner pour compléter les compagnies de marins déjà débarquées. Et Sylvestre, qui avait langui longtemps dans les croisières et les blocus, venait d'être désigné avec quelques autres pour combler des vides dans ces compagnies-là.

En ce moment, il est vrai, on parlait de paix ; mais quelque chose leur disait tout de même qu'ils débarqueraient encore à temps pour se battre un peu. Ayant arrangé leurs sacs, terminé leurs préparatifs, et fait leurs adieux, ils s'étaient promenés toute la soirée au milieu des autres qui restaient, se sentant grandis et fiers auprès de ceux-là ; chacun à sa manière manifestait ses impressions de départ, les uns graves, un peu recueillis ; les autres se répandant en exubérantes paroles.

Sylvestre, lui, était assez silencieux et concentrait en lui-même son impatience d'attente ; seulement quand on le regardait, son petit sourire contenu disait bien : « Oui, j'en suis en effet, et c'est pour demain matin. » La guerre, le feu, il ne s'en faisait encore qu'une idée incomplète ; mais cela le fascinait pourtant, parce qu'il était de vaillante race.

... Inquiet de Gaud, à cause de cette écriture étrangère, il cherchait à s'approcher d'un fanal pour pouvoir bien lire. Et c'était difficile au milieu de ces groupes d'hommes demi-nus, qui se pressaient là, pour lire aussi, dans la chaleur irrespirable de cette batterie...

---

1. Villes du Tonkin prises en 1884 par les Chinois, puis reprises, la même année, par les Français.

Dès le début de sa lettre, comme il l'avait prévu, la grand-mère Yvonne expliquait pourquoi elle avait été obligée de recourir à la main peu experte d'une vieille voisine :

« Mon cher enfant, je ne te fais pas écrire cette fois par ta cousine, parce qu'elle est bien dans la peine. Son père a été pris de mort subite, il y a deux jours. Et il paraît que toute sa fortune a été mangée, à de mauvais jeux d'argent qu'il avait faits cet hiver dans Paris. On va donc vendre sa maison et ses meubles. C'est une chose à laquelle personne ne s'attendait dans le pays. Je pense, mon cher enfant, que cela va te faire comme à moi beaucoup de peine.

« Le fils Gaos te dit bien le bonjour ; il a renouvelé engagement avec le capitaine Guermeur, toujours sur la *Marie*, et le départ pour l'Islande a eu lieu d'assez bonne heure cette année. Ils ont appareillé le 1er du courant, l'avant-veille du grand malheur arrivé à notre pauvre Gaud, et ils n'en ont pas eu connaissance encore.

« Mais tu dois bien penser, mon cher fils, qu'à présent c'est fini, nous ne les marierons pas ; car ainsi elle va être obligée de travailler pour gagner son pain... »

... Il resta atterré ; ces mauvaises nouvelles lui avaient gâté toute sa joie d'aller se battre...

## TROISIÈME PARTIE

### I

....................................................................

Dans l'air, une balle qui siffle !... Sylvestre s'arrête court, dressant l'oreille...

C'est sur une plaine infinie, d'un vert tendre et velouté de printemps. Le ciel est gris, pesant aux épaules.

Ils sont là six matelots armés, en reconnaissance au milieu des fraîches rizières, dans un sentier de boue...

... Encore !... ce même bruit dans le silence de l'air !
— Bruit aigre et ronflant, espèce de *dzinn* prolongé, donnant bien l'impression de la petite chose méchante et dure qui passe là tout droit, très vite, et dont la rencontre peut être mortelle.

Pour la première fois de sa vie, Sylvestre écoute cette musique-là. Ces balles qui vous arrivent sonnent autrement que celles que l'on tire soi-même : le coup de feu, parti de loin, est atténué, on ne l'entend plus ; alors on distingue mieux ce petit bourdonnement de métal, qui file en traînée rapide, frôlant vos oreilles...

... Et *dzinn* encore, et *dzinn* ! Il en pleut maintenant, des balles. Tout près des marins, arrêtés net, elles s'enfoncent dans le sol inondé de la rizière, chacune avec un petit *flac* de grêle, sec et rapide, et un léger éclaboussement d'eau.

Eux se regardent, en souriant comme d'une farce drôlement jouée, et ils disent :

« Les Chinois ! » (Annamites, Tonkinois, Pavillons-Noirs [1], pour les matelots, tout cela, c'est de la même famille chinoise.)

Et comment rendre ce qu'ils mettent de dédain, de vieille rancune moqueuse, d'entrain pour se battre, dans cette manière de les annoncer : « Les Chinois ! »

Deux ou trois balles sifflent encore, plus rasantes, celles-ci ; on les voit ricocher, comme des sauterelles dans l'herbe. Cela n'a pas duré une minute, ce petit arrosage de plomb, et déjà cela cesse. Sur la grande plaine verte, le silence absolu revient, et nulle part on n'aperçoit rien qui bouge.

Ils sont tous les six encore debout, l'œil au guet, prenant le vent, ils cherchent d'où cela a pu venir.

De là-bas, sûrement, de ce bouquet de bambous, qui fait dans la plaine comme un îlot de plumes, et derrière lesquels apparaissent, à demi cachées, des toitures cornues. Alors ils y courent ; dans la terre détrempée de la rizière, leurs pieds s'enfoncent ou glissent ; Sylvestre, avec ses jambes plus longues et plus agiles, est celui qui court devant.

Rien ne siffle plus ; on dirait qu'ils ont rêvé...

Et comme, dans tous les pays du monde, certaines choses sont toujours et éternellement les mêmes — le gris des ciels couverts, la teinte fraîche des prairies au printemps — on croirait voir les champs de France, avec des jeunes hommes courant là gaiement, pour tout autre jeu que celui de la mort.

Mais, à mesure qu'ils s'approchent, ces bambous montrent mieux la finesse exotique de leur feuillée, ces toits de village accentuent l'étrangeté de leur courbure, et des hommes jaunes, embusqués derrière, avancent, pour regarder, leurs figures plates contrac-

---

1. Il s'agit de troupes auxiliaires chinoises engagées dans le conflit franco-chinois à propos du Tonkin, au terme duquel celui-ci fera partie, en 1887, de l'Indochine française.

tées par la malice et la peur... Puis brusquement, ils sortent en jetant un cri, et se déploient en une longue ligne tremblante, mais décidée et dangereuse.

« Les Chinois ! » disent encore les matelots, avec leur même brave sourire.

Mais c'est égal, ils trouvent cette fois qu'il y en a beaucoup, qu'il y en a trop. Et l'un d'eux, en se retournant, en aperçoit d'autres, qui arrivent par derrière, émergeant d'entre les herbages...

...................................................................

... Il fut très beau, dans cet instant, dans cette journée, le petit Sylvestre ; sa vieille grand-mère eût été fière de le voir si guerrier !

Déjà transfiguré depuis quelques jours, bronzé, la voix changée, il était là comme dans un élément à lui. À une minute d'indécision suprême, les matelots, éraflés par les balles, avaient presque commencé ce mouvement de recul qui eût été leur mort à tous ; mais Sylvestre avait continué d'avancer ; ayant pris son fusil par le canon, il tenait tête à tout un groupe, fauchant de droite et de gauche, à grands coups de crosse qui assommaient. Et, grâce à lui, la partie avait changé de tournure : cette panique, cet affolement, ce je ne sais quoi, qui décide aveuglément de tout, dans ces petites batailles non dirigées, était passé du côté des Chinois ; c'étaient eux qui avaient commencé à reculer.

... C'était fini, maintenant, ils fuyaient. Et les six matelots, ayant rechargé leurs armes à tir rapide, les abattaient à leur aise ; il y avait des flaques rouges dans l'herbe, des corps effondrés, des crânes versant leur cervelle dans l'eau de la rizière.

Ils fuyaient tout courbés, rasant le sol, s'aplatissant comme des léopards. Et Sylvestre courait après, déjà blessé deux fois, un coup de lance à la cuisse, une entaille profonde dans le bras ; mais ne sentant rien que l'ivresse de se battre, cette ivresse non raisonnée qui vient du sang vigoureux, celle qui donne aux sim-

ples le courage superbe, celle qui faisait les héros antiques.

Un, qu'il poursuivait, se retourna pour le mettre en
joue, dans une inspiration de terreur désespérée. Sylvestre s'arrêta, souriant, méprisant, sublime, pour le
laisser décharger son arme, puis se jeta un peu plus
sur la gauche, voyant la direction du coup qui allait
partir. Mais, dans le mouvement de détente, le canon
de ce fusil dévia par hasard dans le même sens. Alors,
lui, sentit une commotion à la poitrine, et, compre-
nant bien ce que c'était, par un éclair de pensée,
même avant toute douleur, il détourna la tête vers les
autres marins qui suivaient, pour essayer de leur dire,
comme un vieux soldat, la phrase consacrée : « Je crois
que j'ai mon compte ! » Dans la grande aspiration
qu'il fit, venant de courir, pour prendre, avec sa
bouche, de l'air plein ses poumons, il en sentit entrer
aussi, par un trou à son sein droit, avec un petit bruit
horrible, comme dans un soufflet crevé. En même
temps, sa bouche s'emplit de sang, tandis qu'il lui
venait au côté une douleur aiguë, qui s'exaspérait vite,
vite, jusqu'à être quelque chose d'atroce et d'indicible.

Il tourna sur lui-même deux ou trois fois, la tête
perdue de vertige et cherchant à reprendre son souffle
au milieu de tout ce liquide rouge dont la montée
l'étouffait — et puis, lourdement, dans la boue, il
s'abattit.

## II

......................................................................

Environ quinze jours après, comme le ciel se faisait déjà plus sombre à l'approche des pluies, et la chaleur plus lourde sur ce Tonkin jaune, Sylvestre, qu'on avait rapporté à Hanoï, fut envoyé en rade d'Ha-Long et mis à bord d'un navire-hôpital qui rentrait en France.

Il avait été longtemps promené sur divers brancards, avec des temps d'arrêt dans des ambulances. On avait fait ce qu'on avait pu ; mais, dans ces conditions mauvaises, sa poitrine s'était remplie d'eau, du côté percé, et l'air entrait toujours, en gargouillant, par ce trou qui ne se fermait pas.

On lui avait donné la médaille militaire et il en avait eu un moment de joie.

Mais il n'était plus le guerrier d'avant, à l'allure décidée, à la voix vibrante et brève. Non, tout cela était tombé devant la longue souffrance et la fièvre amollissante. Il était redevenu enfant, avec le mal du pays ; il ne parlait presque plus, répondant à peine d'une petite voix douce, presque éteinte. Se sentir si malade, et être si loin, si loin ; penser qu'il faudrait tant de jours et de jours avant d'arriver au pays — vivrait-il seulement jusque-là, avec ses forces qui diminuaient ?... Cette notion d'effroyable éloignement était une chose qui l'obsédait sans cesse ; qui l'oppressait à ses réveils — quand, après les heures d'assoupissements, il retrouvait la sensation affreuse de ses plaies, la chaleur de sa fièvre et le petit bruit soufflant de sa poitrine crevée. Aussi il avait supplié qu'on l'embarquât, au risque de tout.

Il était très lourd à porter dans son cadre ; alors, sans le vouloir, on lui donnait des secousses cruelles en le charroyant.

À bord de ce transport qui allait partir, on le coucha dans l'un des petits lits de fer alignés à l'hôpital et il recommença en sens inverse sa longue promenade à travers les mers. Seulement, cette fois, au lieu de vivre comme un oiseau dans le plein vent des hunes, c'était dans les lourdeurs d'en bas, au milieu des exhalaisons de remèdes, de blessures et de misères.

Les premiers jours, la joie d'être en route avait amené en lui un peu de mieux. Il pouvait se tenir soulevé sur son lit avec des oreillers, et de temps en temps il demandait sa boîte. Sa boîte de matelot était le coffret de bois blanc, acheté à Paimpol, pour mettre ses choses précieuses ; on y trouvait les lettres de la grand-mère Yvonne, celles d'Yann et de Gaud, un cahier où il avait copié des chansons du bord, et un livre de Confucius [1] en chinois, pris au hasard d'un pillage, sur lequel, au revers blanc des feuillets, il avait inscrit le journal naïf de sa campagne.

Le mal pourtant ne s'améliorait pas et, dès la première semaine, les médecins pensèrent que la mort ne pouvait plus être évitée.

... Près de l'Équateur maintenant, dans l'excessive chaleur des orages. Le transport s'en allait, secouant ses lits, ses blessés et ses malades ; s'en allait toujours vite, sur une mer remuée, tourmentée encore comme au renversement des moussons.

Depuis le départ d'Ha-Long, il en était mort plus d'un, qu'il avait fallu jeter dans l'eau profonde, sur ce grand chemin de France ; beaucoup de ces petits lits s'étaient débarrassés déjà de leur pauvre contenu.

1. Confucius est le nom latinisé du plus célèbre des philosophes chinois.

Et ce jour-là, dans l'hôpital mouvant, il faisait très sombre : on avait été obligé, à cause de la houle, de fermer les mantelets en fer des sabords, et cela rendait plus horrible cet étouffoir de malades.

Il allait plus mal, lui ; c'était la fin. Couché toujours sur son côté percé, il le comprimait des deux mains, avec tout ce qui lui restait de force, pour immobiliser cette eau, cette décomposition liquide dans ce poumon droit, et tâcher de respirer seulement avec l'autre. Mais cet autre aussi, peu à peu, s'était pris par voisinage, et l'angoisse suprême était commencée.

Toute sorte de visions du pays hantaient son cerveau mourant ; dans l'obscurité chaude, des figures aimées ou affreuses venaient se pencher sur lui ; il était dans un perpétuel rêve d'halluciné, où passaient la Bretagne et l'Islande.

Le matin, il avait fait appeler le prêtre, et celui-ci, qui était un vieillard habitué à voir mourir des matelots, avait été surpris de trouver, sous cette enveloppe si virile, la pureté d'un petit enfant.

Il demandait de l'air, de l'air ; mais il n'y en avait nulle part ; les manches à vent n'en donnaient plus ; l'infirmier, qui l'éventait tout le temps avec un éventail à fleurs chinoises, ne faisait que remuer sur lui des buées malsaines, des fadeurs déjà cent fois respirées, dont les poitrines ne voulaient plus.

Quelquefois, il lui prenait des rages désespérées pour sortir de ce lit, où il sentait si bien la mort venir ; d'aller au plein vent là-haut, essayer de revivre !... Oh ! les autres, qui couraient dans les haubans [1], qui habitaient dans les hunes !... Mais tout son grand effort pour s'en aller n'aboutissait qu'à un soulèvement de sa tête et de son cou affaibli — quelque chose comme ces mouvements incomplets que l'on fait pendant le sommeil.

— Eh ! non, il ne pouvait plus ; il retombait dans les mêmes creux de son lit défait, déjà englué là par la mort ; et chaque fois, après la fatigue d'une telle secousse, il perdait pour un instant conscience de tout.

---

1. Les haubans sont des cordages servant à assujettir un mât.

Pour lui faire plaisir, on finit par ouvrir un sabord, bien que ce fût encore dangereux, la mer n'étant pas assez calmée. C'était le soir, vers six heures. Quand cet auvent de fer fut soulevé, il entra de la lumière seulement, de l'éblouissante lumière rouge. Le soleil couchant apparaissait à l'horizon avec une extrême splendeur, dans la déchirure d'un ciel sombre ; sa lueur aveuglante se promenait au roulis, et il éclairait cet hôpital en vacillant, comme une torche que l'on balance.

De l'air, non, il n'en vint point ; le peu qu'il y en avait dehors était impuissant à entrer ici, à chasser les senteurs de la fièvre. Partout, à l'infini, sur cette mer équatoriale, ce n'était qu'humidité chaude, que lourdeur irrespirable. Pas d'air nulle part, pas même pour les mourants qui haletaient.

... Une dernière vision l'agita beaucoup : sa vieille grand-mère, passant sur un chemin, très vite, avec une expression d'anxiété déchirante ; la pluie tombait sur elle, de nuages bas et funèbres ; elle se rendait à Paimpol, mandée au bureau de la marine pour y être informée qu'il était mort.

Il se débattait maintenant ; il râlait. On épongeait aux coins de sa bouche de l'eau et du sang, qui étaient remontés de sa poitrine, à flots, pendant ses contorsions d'agonie. Et le soleil magnifique l'éclairait toujours ; au couchant, on eût dit l'incendie de tout un monde, avec du sang plein les nuages ; par le trou de ce sabord ouvert entrait une large bande de feu rouge, qui venait finir sur le lit de Sylvestre, faire un nimbe [1] autour de lui.

... À ce moment, ce soleil se voyait aussi là-bas, en Bretagne, où midi allait sonner. Il était bien le même soleil, et au même instant précis de sa durée sans fin ; là, pourtant, il avait une couleur très différente ; se tenant plus haut dans un ciel bleuâtre, il éclairait d'une douce lumière blanche la grand-mère Yvonne, qui travaillait à coudre, assise sur sa porte.

1. « Nimbe » = auréole, halo.

En Islande, où c'était le matin, il paraissait aussi, à cette même minute de mort. Pâli davantage, on eût dit qu'il ne parvenait à être vu là que par une sorte de tour de force d'obliquité. Il rayonnait tristement, dans un fiord où dérivait la *Marie,* et son ciel était cette fois d'une de ces puretés hyperboréennes qui éveillent des idées de planètes refroidies n'ayant plus d'atmosphère. Avec une netteté glacée, il accentuait les détails de ce chaos de pierres qui est l'Islande : tout ce pays, vu de la *Marie,* semblait plaqué sur un même plan et se tenir debout. Yann, qui était là, éclairé un peu étrangement lui aussi, pêchait comme d'habitude, au milieu de ces aspects lunaires.

... Au moment où cette traînée de feu rouge, qui entrait par ce sabord de navire, s'éteignit, où le soleil équatorial disparut tout à fait dans les eaux dorées, on vit les yeux du petit-fils mourant se chavirer, se retourner vers le front comme pour disparaître dans la tête. Alors on abaissa dessus les paupières avec leurs longs cils — et Sylvestre redevint très beau et calme, comme un marbre couché...

# III

... Aussi bien, je ne puis m'empêcher de conter cet enterrement de Sylvestre que je conduisis moi-même là-bas, dans l'île de Singapour. On en avait assez jeté d'autres dans la mer de Chine pendant les premiers jours de la traversée ; comme cette terre malaise était là tout près, on s'était décidé à le garder quelques heures de plus pour l'y mettre.

C'était le matin, de très bonne heure, à cause du terrible soleil. Dans le canot qui l'emporta, son corps était recouvert du pavillon de France. La grande ville étrange dormait encore quand nous accostâmes la terre. Un petit fourgon, envoyé par le consul, attendait sur le quai ; nous y mîmes Sylvestre et la croix de bois qu'on lui avait faite à bord ; la peinture en était encore fraîche, car il avait fallu se hâter, et les lettres blanches de son nom coulaient sur le fond noir.

Nous traversâmes cette Babel au soleil levant. Et puis ce fut une émotion, de retrouver là, à deux pas de l'immonde grouillement chinois, le calme d'une église française. Sous cette haute nef blanche, où j'étais seul avec mes matelots, le *Dies irae* chanté par un prêtre missionnaire résonnait comme une douce incantation magique. Par les portes ouvertes, on voyait des choses qui ressemblaient à des jardins enchantés, des verdures admirables, des palmes immenses ; le vent secouait les grands arbres en fleurs, et c'était une pluie de pétales d'un rouge de carmin qui tombaient jusque dans l'église.

Après, nous sommes allés au cimetière, très loin. Notre petit cortège de matelots était bien modeste, le cercueil toujours recouvert du pavillon de France. Il nous fallut traverser des quartiers chinois, un fourmillement de monde jaune ; puis des faubourgs malais, indiens, où toute sorte de figures d'Asie nous regardaient passer avec des yeux étonnés.

Ensuite, la campagne, déjà chaude ; des chemins ombreux où volaient d'admirables papillons aux ailes de velours bleu. Un grand luxe de fleurs, de palmiers ; toutes les splendeurs de la sève équatoriale. Enfin, le cimetière : des tombes mandarines, avec des inscriptions multicolores, des dragons et des monstres ; d'étonnants feuillages, des plantes inconnues. L'endroit où nous l'avons mis ressemble à un coin des jardins d'Indra [1].

Sur sa terre, nous avons planté cette petite croix de bois qu'on lui avait faite à la hâte pendant la nuit :

### SYLVESTRE MOAN
#### DIX-NEUF ANS

Et nous l'avons laissé là, pressés de repartir à cause de ce soleil qui montait toujours, nous retournant pour le voir, sous ses arbres merveilleux, sous ses grandes fleurs.

---

1. Indra est un dieu indien très bénéfique.

# IV

Le transport continuait sa route à travers l'océan Indien. En bas, dans l'hôpital flottant, il y avait encore des misères enfermées. Sur le pont, on ne voyait qu'insouciance, santé et jeunesse. Alentour, sur la mer, une vraie fête d'air pur et de soleil.

Par ces beaux temps d'alizés, les matelots, étendus à l'ombre des voiles, s'amusaient avec leurs perruches, à les faire courir. (Dans ce Singapour d'où ils venaient, on vend aux marins qui passent toute sorte de bêtes apprivoisées.)

Ils avaient tous choisi des bébés de perruches, ayant de petits airs enfantins sur leurs figures d'oiseau ; pas encore de queue, mais déjà vertes, oh ! d'un beau vert admirable. Les papas et les mamans avaient été verts ; alors elles, toutes petites, avaient hérité inconsciemment cette couleur-là ; posées sur ces planches si propres du navire, elles ressemblaient à des feuilles très fraîches tombées d'un arbre des tropiques.

Quelquefois on les réunissait toutes ; alors elles s'observaient entre elles, drôlement ; elles se mettaient à tourner le cou en tous sens, comme pour s'examiner sous différents aspects. Elles marchaient comme des boiteuses, avec des petits trémoussements comiques, partant tout d'un coup très vite, empressées, on ne sait pour quelle patrie ; et il y en avait qui tombaient.

Et puis les guenons apprenaient à faire des tours, et c'était un autre amusement. Il y en avait de tendrement aimées, qui étaient embrassées avec transport, et qui se pelotonnaient tout contre la poitrine dure de leurs maîtres en les regardant avec des yeux de femme, moitié grotesques, moitié touchantes.

Au coup de trois heures, les fourriers [1] apportèrent sur le pont deux sacs de toile, scellés de gros cachets en cire rouge, et marqués au nom de Sylvestre ; c'était pour vendre à la criée — comme le règlement l'exige pour les morts — tous ses vêtements, tout ce qui lui avait appartenu au monde. Et les matelots, avec entrain, vinrent se grouper autour ; à bord d'un navire-hôpital, on en voit assez souvent, de ces ventes de sac, pour que cela n'émotionne plus. Et puis, sur ce bateau, on avait si peu connu Sylvestre.

Ses vareuses, ses chemises, ses maillots à raies bleues, furent palpés, retournés et puis enlevés à des prix quelconques, les acheteurs surfaisant pour s'amuser.

Vint le tour de la petite boîte sacrée, qu'on adjugea cinquante sous. On en avait retiré, pour remettre à la famille, les lettres et la médaille militaire ; mais il y restait le cahier de chansons, le livre de Confucius, et le fil, les boutons, les aiguilles, toutes les petites choses disposées là par la prévoyance de grand-mère Yvonne pour réparer et recoudre.

Ensuite le fourrier, qui exhibait les objets à vendre, présenta deux petits bouddhas, pris dans une pagode pour être donnés à Gaud, et si drôles de tournure qu'il y eut un fou rire quand on les vit apparaître comme dernier lot. S'ils riaient, les marins, ce n'était pas par manque de cœur, mais par irréflexion seulement.

Pour finir, on vendit les sacs, et l'acheteur entreprit aussitôt de rayer le nom inscrit dessus pour mettre le sien à la place.

1. Le fourrier est le sous-officier chargé de la nourriture et du logement des troupes en déplacement. À bord d'un navire, il s'occupe des écritures et de la comptabilité.

Un soigneux coup de balai fut donné après, afin de bien débarrasser ce pont si propre des poussières ou des débris de fil tombés de ce déballage.

Et les matelots retournèrent gaiement s'amuser avec leurs perruches et leurs singes.

# V

...............................................................................

Un jour de la première quinzaine de juin, comme la
vieille Yvonne rentrait chez elle, des voisines lui dirent
qu'on était venu la demander de la part du commissaire de l'inscription maritime.

C'était quelque chose concernant son petit-fils, bien
sûr ; mais cela ne lui fit pas du tout peur. Dans les
familles des *gens de mer*, on a souvent affaire à l'*Inscription* ; elle donc, qui était fille, femme, mère et
grand-mère de marin, connaissait ce bureau depuis
tantôt soixante ans.

C'était au sujet de sa délégation, sans doute ; ou
peut-être un petit décompte de la *Circé* à toucher au
moyen de sa *procure* [1]. Sachant ce qu'on doit à M. le
commissaire, elle fit sa toilette, prit sa belle robe et
une coiffe blanche, puis se mit en route sur les deux
heures.

Trottinant assez vite et menu dans ces sentiers de
falaise, elle s'acheminait vers Paimpol, un peu
anxieuse tout de même, à la réflexion, à cause de ces
deux mois sans lettre.

Elle rencontra son vieux galant, assis à une porte,
très tombé depuis les froids de l'hiver.

« Eh bien ?... Quand vous voudrez, vous savez ; faut

1. « Procure » est ici une abréviation de procuration.

pas vous gêner, la belle !... » (Encore ce costume en planches, qu'il avait dans l'idée.)

Le gai temps de juin souriait partout autour d'elle. Sur les hauteurs pierreuses, il n'y avait toujours que les ajoncs ras aux fleurs jaune d'or ; mais dès qu'on passait dans les bas-fonds abrités contre le vent de la mer, on trouvait tout de suite la belle verdure neuve, les haies d'aubépine fleurie, l'herbe haute et sentant bon. Elle ne voyait guère tout cela, elle, si vieille, sur qui s'étaient accumulées les saisons fugitives, courtes à présent comme des jours...

Autour des hameaux croulants aux murs sombres il y avait des rosiers, des œillets, des giroflées et, jusque sur les hautes toitures de chaume et de mousse, mille petites fleurs qui attiraient les premiers papillons blancs.

Ce printemps était presque sans amour, dans ce pays d'Islandais, et les belles filles de race fière que l'on apercevait, rêveuses, sur les portes, semblaient darder très loin au-delà des objets visibles leurs yeux bruns ou bleus. Les jeunes hommes, à qui allaient leurs mélancolies et leurs désirs, étaient à faire la grande pêche, là-bas, sur la mer hyperborée...

Mais c'était un printemps tout de même, tiède, suave, troublant, avec de légers bourdonnements de mouches, des senteurs de plantes nouvelles.

Et tout cela, qui est sans âme, continuait de sourire à cette vieille grand-mère qui marchait de son meilleur pas pour aller apprendre la mort de son dernier petit-fils. Elle touchait à l'heure terrible où cette chose, qui s'était passée si loin sur la mer chinoise, allait lui être dite ; elle faisait cette course sinistre que Sylvestre, au moment de mourir, avait devinée et qui lui avait arraché ses dernières larmes d'angoisse : sa bonne vieille grand-mère, mandée à l'*Inscription* de Paimpol pour apprendre qu'il était mort ! — Il l'avait vue très nettement passer, sur cette route, s'en allant bien vite, droite, avec son petit châle brun, son parapluie et sa grande coiffe. Et cette apparition l'avait fait se soulever et se tordre avec un déchirement affreux, tandis que l'énorme soleil rouge de l'Équateur, qui se couchait magnifiquement, entrait par le sabord de l'hôpital pour le regarder mourir.

Seulement, de là-bas, lui, dans sa vision dernière, s'était figuré sous un ciel de pluie cette promenade de pauvre vieille, qui, au contraire, se faisait au gai printemps moqueur...

En approchant de Paimpol, elle se sentait devenir plus inquiète, et pressait encore sa marche.

La voilà dans la ville grise, dans les petites rues de granit où tombait ce soleil, donnant le bonjour à d'autres vieilles, ses contemporaines, assises à leur fenêtre. Intriguées de la voir, elles disaient :

« Où va-t-elle comme ça si vite, en robe du dimanche, un jour sur semaine ? »

M. le commissaire de l'inscription ne se trouvait pas chez lui. Un petit être très laid, d'une quinzaine d'années, qui était son commis, se tenait assis à son bureau. Étant trop mal venu pour faire un pêcheur, il avait reçu de l'instruction et passait ses jours sur cette même chaise, en fausses manches noires, grattant son papier.

Avec un air d'importance, quand elle lui eut dit son nom, il se leva pour prendre, dans un casier, des pièces timbrées.

Il y en avait beaucoup... qu'est-ce que cela voulait dire ? Des certificats, des papiers portant des cachets, un livret de marin jauni par la mer, tout cela ayant comme une odeur de mort...

Il les étalait devant la pauvre vieille, qui commençait à trembler et à voir trouble. C'est qu'elle avait reconnu deux de ces lettres que Gaud écrivait pour elle à son petit-fils, et qui étaient revenues là, non décachetées... Et ça s'était passé ainsi vingt ans auparavant, pour la mort de son fils Pierre : les lettres étaient revenues de la Chine chez M. le commissaire, qui les lui avait remises...

Il lisait maintenant d'une voix doctorale :

« Moan, Jean-Marie-Sylvestre, inscrit à Paimpol, folio 213, numéro matricule 2091, décédé à bord du *Bien-Hoa* le 14... »

« Quoi ?... Qu'est-ce qui lui est arrivé, mon bon monsieur ?...

— Décédé !... Il est décédé », reprit-il.

Mon Dieu, il n'était sans doute pas méchant, ce commis ; s'il disait cela de cette manière brutale, c'était plutôt manque de jugement, inintelligence de petit être incomplet. Et, voyant qu'elle ne comprenait pas ce beau mot, il s'exprima en breton :

« *Marw éo !...*

— *Marw éo !...* » (Il est mort...)

Elle répéta après lui, avec son chevrotement de vieillesse, comme un pauvre écho fêlé redirait une phrase indifférente.

C'était bien ce qu'elle avait à moitié deviné, mais cela la faisait trembler seulement ; à présent que c'était certain, ça n'avait pas l'air de la toucher. D'abord sa faculté de souffrir s'était vraiment un peu émoussée, à force d'âge, surtout depuis ce dernier hiver. La douleur ne venait plus tout de suite. Et puis quelque chose se chavirait pour le moment dans sa tête, et voilà qu'elle confondait cette mort avec d'autres : elle en avait tant perdu, de fils !... Il lui fallut un instant pour bien entendre que celui-ci était son dernier, si chéri, celui à qui se rapportaient toutes ses prières, toute sa vie, toute son attente, toutes ses pensées, déjà obscurcies par l'approche sombre de l'*enfance...*

Elle éprouvait une honte aussi à laisser paraître son désespoir devant ce petit monsieur qui lui faisait horreur : est-ce que c'était comme ça qu'on annonçait à une grand-mère la mort de son petit-fils !... Elle restait debout, devant ce bureau, raidie, torturant les franges de son châle brun avec ses pauvres vieilles mains gercées de laveuse.

Et comme elle se sentait loin de chez elle !... Mon Dieu, tout ce trajet qu'il faudrait faire, et faire décemment, avant d'atteindre le gîte de chaume où elle avait hâte de s'enfermer — comme les bêtes blessées qui se cachent au terrier pour mourir. C'est pour cela aussi qu'elle s'efforçait de ne pas trop penser, de ne pas encore bien comprendre, épouvantée surtout d'une route si longue.

On lui remit un mandat pour aller toucher, comme héritière, les trente francs qui lui revenaient de la vente du sac de Sylvestre ; puis les lettres, les certificats et la boîte contenant la médaille militaire. Gauchement elle prit tout cela avec ses doigts qui restaient ouverts, le promena d'une main dans l'autre, ne trouvant plus ses poches pour le mettre.

Dans Paimpol, elle passa tout d'une pièce et ne regardant personne, le corps un peu penché comme qui va tomber, entendant un bourdonnement de sang à ses oreilles — et se hâtant, se surmenant, comme une pauvre machine déjà très ancienne qu'on aurait remontée à toute vitesse pour la dernière fois, sans s'inquiéter d'en briser les ressorts.

Au troisième kilomètre, elle allait toute courbée en avant, épuisée ; de temps à autre, son sabot heurtait quelque pierre qui lui donnait dans la tête un grand choc douloureux. Et elle se dépêchait de se terrer chez elle, de peur de tomber et d'être rapportée...

# VI

La vieille Yvonne qui est soûle !

Elle était tombée, et les gamins lui couraient après. C'était justement en entrant dans la commune de Ploubazlanec, où il y a beaucoup de maisons le long de la route. Tout de même elle avait eu la force de se relever et, clopin-clopant, se sauvait avec son bâton.

« La vieille Yvonne qui est soûle ! »

Et des petits effrontés venaient la regarder sous le nez en riant. Sa coiffe était tout de travers.

Il y en avait, de ces petits, qui n'étaient pas bien méchants dans le fond — et quand ils l'avaient vue de plus près, devant cette grimace de désespoir sénile, s'en retournaient tout attristés et saisis, n'osant plus rien dire.

Chez elle, la porte fermée, elle poussa un cri de détresse qui l'étouffait, et se laissa tomber dans un coin, la tête au mur. Sa coiffe lui était descendue sur les yeux ; elle la jeta par terre — sa pauvre belle coiffe, autrefois si ménagée. Sa dernière robe des dimanches était toute salie, et une mince queue de cheveux, d'un blanc jaune, sortait de son serre-tête, complétant un désordre de pauvresse...

# VII

Gaud, qui venait pour s'informer, la trouva le soir ainsi, toute décoiffée, laissant pendre les bras, la tête contre la pierre, avec une grimace et un *hi ! hi ! hi !* plaintif de petit enfant ; elle ne pouvait presque pas pleurer : les trop vieilles grand-mères n'ont plus de larmes dans leurs yeux taris.

« Mon petit-fils qui est mort ! »

Et elle lui jeta sur les genoux les lettres, les papiers, la médaille.

Gaud parcourut d'un coup d'œil, vit que c'était bien vrai, et se mit à genoux pour prier.

Elles restèrent là ensemble, presque muettes, les deux femmes, tant que dura ce crépuscule de juin — qui est très long en Bretagne et qui là-bas, en Islande, ne finit plus. Dans la cheminée, le grillon qui porte bonheur leur faisait tout de même sa grêle musique. Et la lueur jaune du soir entrait par la lucarne, dans cette chaumière des Moan que la mer avait tous pris, qui étaient maintenant une famille éteinte...

À la fin, Gaud disait :

« Je viendrai, moi, ma bonne grand-mère, demeurer avec vous ; j'apporterai mon lit qu'on m'a laissé, je vous garderai, je vous soignerai, vous ne serez pas toute seule... »

Elle pleurait son petit ami Sylvestre, mais dans son chagrin elle se sentait distraite involontairement par la pensée d'un autre : — celui qui était reparti pour la grande pêche.

Ce Yann, on allait lui faire savoir que Sylvestre était mort ; justement les *chasseurs* [1] devaient bientôt partir. Le pleurerait-il seulement ?... Peut-être que oui, car il l'aimait bien... Et au milieu de ses pauvres larmes, elle se préoccupait de cela beaucoup, tantôt

1. Les « chasseurs » sont des bateaux de petit tonnage qui transportaient en France le poisson déjà pris par les flottilles de grande pêche.

s'indignant contre ce garçon dur, tantôt s'attendris-
sant à son souvenir, à cause de cette douleur qu'il
allait avoir, lui aussi, et qui était comme un rapprochement entre eux deux ; — en somme, le cœur tout
rempli de lui...

# VIII

... Un soir pâle d'août, la lettre qui annonçait à Yann la mort de son frère finit par arriver à bord de la *Marie* sur la mer d'Islande — c'était après une journée de dure manœuvre et de fatigue excessive, au moment où il allait descendre pour souper et dormir. Les yeux alourdis de sommeil, il lut cela en bas, dans le réduit sombre, à la lueur jaune de la petite lampe ; et, dans le premier moment, lui aussi resta insensible, étourdi, comme quelqu'un qui ne comprendrait pas bien. Très renfermé, par fierté, pour tout ce qui concernait son cœur, il cacha la lettre dans son tricot bleu, contre sa poitrine, comme les matelots font, sans rien dire.

Seulement ii ne se sentait plus le courage de s'asseoir avec les autres pour manger la soupe ; alors, dédaignant même de leur expliquer pourquoi, il se jeta sur sa couchette et, du même coup, s'endormit.

Bientôt il rêva de Sylvestre mort, de son enterrement qui passait...

Aux approches de minuit — étant dans cet état d'esprit particulier aux marins qui ont conscience de l'heure dans le sommeil et qui sentent venir le moment où on les fera lever pour le quart — il voyait cet enterrement encore. Et il disait :

« Je rêve ; heureusement ils vont me réveiller mieux et ça s'évanouira. »

Mais quand une rude main fut posée sur lui, et qu'une voix se mit à dire « Gaos ! — allons, debout, la *relève !* » il entendit sur sa poitrine un léger froissement de papier — petite musique sinistre affirmant la réalité de la mort. — Ah ! oui, la lettre !... c'était vrai, donc ! — et déjà ce fut une impression plus poignante, plus cruelle, et, en se dressant vite, dans son réveil subit, il heurta contre les poutres son front large.

Puis il s'habilla et ouvrit l'écoutille pour aller là-haut prendre son poste de pêche...

# IX

Quand Yann fut monté, il regarda tout autour de lui, avec ses yeux qui venaient de dormir, le grand cercle familier de la mer.

Cette nuit-là, c'était l'immensité présentée sous ses aspects les plus étonnamment simples, en teintes neutres, donnant seulement des impressions de profondeur.

Cet horizon, qui n'indiquait aucune région précise de la terre, ni même aucun âge géologique, avait dû être tant de fois pareil depuis l'origine des siècles, qu'en regardant il semblait vraiment qu'on ne vît rien — rien que l'éternité des choses qui *sont* et qui ne peuvent se dispenser d'*être*.

Il ne faisait même pas absolument nuit. C'était éclairé faiblement, par un reste de lumière, qui ne venait de nulle part. Cela bruissait comme par habitude, rendant une plainte sans but. C'était gris, d'un gris trouble qui fuyait sous le regard. — La mer, pendant son repos mystérieux et son sommeil, se dissimulait sous les teintes discrètes qui n'ont pas de nom.

Il y avait en haut des nuées diffuses ; elles avaient pris des formes quelconques, parce que les choses ne peuvent guère n'en pas avoir ; dans l'obscurité, elles se confondaient presque pour n'être qu'un grand voile.

Mais, en un point de ce ciel, très bas, près des eaux, elles faisaient une sorte de marbrure plus distincte, bien que très lointaine ; un dessin mou,

comme tracé par une main distraite ; combinaison de
hasard, non destinée à être vue, et fugitive, prête à
mourir. — Et cela seul, dans tout cet ensemble,
paraissait signifier quelque chose ; on eût dit que la
pensée mélancolique, insaisissable, de tout ce néant,
était inscrite là — et les yeux finissaient par s'y fixer,
sans le vouloir.

Lui, Yann, à mesure que ses prunelles mobiles
s'habituaient à l'obscurité du dehors, il regardait de
plus en plus cette marbrure unique du ciel ; elle avait
forme de quelqu'un qui s'affaisse, avec deux bras qui
se tendent. Et à présent qu'il avait commencé à voir là
cette apparence, il lui semblait que ce fût une vraie
ombre humaine, agrandie, rendue gigantesque à force
de venir de loin.

Puis, dans son imagination où flottaient ensemble
les rêves indicibles et les croyances primitives, cette
ombre triste, effondrée au bout de ce ciel de ténèbres,
se mêlait peu à peu au souvenir de son frère mort,
comme une dernière manifestation de lui.

Il était coutumier de ces étranges associations
d'images, comme il s'en forme surtout au commencement de la vie, dans la tête des enfants... Mais les
mots, si vagues qu'ils soient, restent encore trop précis
pour exprimer ces choses ; il faudrait cette langue
incertaine qui se parle quelquefois dans les rêves, et
dont on ne retient au réveil que d'énigmatiques fragments n'ayant plus de sens.

À contempler ce nuage, il sentait venir une tristesse
profonde, angoissée, pleine d'inconnu et de mystère,
qui lui glaçait l'âme ; beaucoup mieux que tout à
l'heure, il comprenait maintenant que son pauvre petit
frère ne reparaîtrait jamais, jamais plus ; le chagrin,
qui avait été long à percer l'enveloppe robuste et dure
de son cœur, y entrait à présent jusqu'à pleins bords.
Il revoyait la figure douce de Sylvestre, ses bons yeux
d'enfant ; à l'idée de l'embrasser, quelque chose
comme un voile tombait tout à coup entre ses paupières, malgré lui — et d'abord il ne s'expliquait pas
bien ce que c'était, n'ayant jamais pleuré dans sa vie

d'homme. — Mais les larmes commençaient à couler lourdes, rapides, sur ses joues ; et puis des sanglots vinrent soulever sa poitrine profonde.

Il continuait de pêcher très vite, sans perdre son temps ni rien dire, et les deux autres, qui l'écoutaient dans ce silence, se gardaient d'avoir l'air d'entendre, de peur de l'irriter, le sachant si renfermé et si fier.

... Dans son idée à lui, la mort finissait tout...

Il lui arrivait bien, par respect, de s'associer à ces prières qu'on dit en famille pour les défunts ; mais il ne croyait à aucune survivance des âmes.

Dans leurs causeries entre marins, ils disaient tous cela, d'une manière brève et assurée, comme une chose bien connue de chacun ; ce qui pourtant n'empêchait pas une vague appréhension des fantômes, une vague frayeur des cimetières, une confiance extrême dans les saints et les images qui protègent, ni surtout une vénération innée pour la terre bénite qui entoure les églises.

Ainsi Yann redoutait pour lui-même d'être pris par la mer, comme si cela anéantissait davantage — et la pensée que Sylvestre était resté là-bas, dans cette terre lointaine d'en dessous, rendait son chagrin plus désespéré, plus sombre.

Avec son dédain des autres, il pleura sans aucune contrainte ni honte, comme s'il eût été seul.

... Au-dehors, le vide blanchissait lentement, bien qu'il fût à peine deux heures ; et en même temps il paraissait s'étendre, s'étendre, devenir plus démesuré, se creuser d'une manière plus effrayante. Avec cette espèce d'aube qui naissait, les yeux s'ouvraient davantage et l'esprit plus éveillé concevait mieux l'immensité des lointains ; alors les limites de l'espace visible étaient encore reculées et fuyaient toujours.

C'était un éclairage très pâle, mais qui augmentait ; il semblait que cela vînt par petits jets, par secousses légères ; les choses éternelles avaient l'air de s'illuminer par transparence, comme si des lampes à flamme blanche eussent été montées peu à peu, derrière les informes nuées grises — montées discrètement, avec des précautions mystérieuses, de peur de troubler le morne repos de la mer.

Sous l'horizon, la grande lampe blanche, c'était le soleil, qui se traînait sans force, avant de faire au-dessus des eaux sa promenade lente et froide, commencée dès l'extrême matin...

Ce jour-là, on ne voyait nulle part de tons roses d'aurore, tout restait blême et triste. Et, à bord de la *Marie,* un homme pleurait, le grand Yann...

Ces larmes de son frère sauvage, et cette plus grande mélancolie du dehors, c'était l'appareil de deuil employé pour le pauvre petit héros obscur, sur ces mers d'Islande où il avait passé la moitié de sa vie...

Quand le plein jour vint, Yann essuya brusquement ses yeux avec la manche de son tricot de laine et ne pleura plus. Ce fut fini. Il semblait complètement repris par le travail de la pêche, par le train monotone des choses réelles et présentes, comme ne pensant plus à rien.

Du reste, les lignes donnaient beaucoup et les bras avaient peine à suffire.

Autour des pêcheurs, dans les fonds immenses, c'était un nouveau changement à vue. Le grand déploiement d'infini, le grand spectacle du matin était terminé, et maintenant les lointains paraissaient au contraire se rétrécir, se refermer sur eux. Comment donc avait-on cru voir tout à l'heure la mer si démesurée ? L'horizon était à présent tout près, et il semblait même qu'on manquât d'espace. Le vide se remplissait de voiles ténus qui flottaient, les uns plus vagues que des buées, d'autres aux contours presque visibles et comme frangés. Ils tombaient mollement, dans un grand silence, comme des mousselines blanches, n'ayant pas de poids ; mais il en descendait de partout en même temps, aussi l'emprisonnement là-dessous se faisait très vite, et cela oppressait, de voir ainsi s'encombrer l'air respirable.

C'était la première brume d'août qui se levait. En quelques minutes le suaire fut uniformément dense, impénétrable ; autour de la *Marie,* on ne distinguait plus rien qu'une pâleur humide où se diffusait la lumière et où la mâture du navire semblait même se perdre.

« De ce coup, la voilà arrivée, la sale brume », dirent les hommes.

Ils connaissaient depuis longtemps cette inévitable compagne de la seconde période de pêche ; mais aussi cela annonçait la fin de la saison d'Islande, l'époque où l'on fait route pour revenir en Bretagne.

En fines gouttelettes brillantes, cela se déposait sur leur barbe ; cela faisait luire d'humidité leur peau brunie. Ceux qui se regardaient d'un bout à l'autre du bateau se voyaient troubles comme des fantômes ; par contre, les objets très rapprochés apparaissaient plus crûment sous cette lumière fade et blanchâtre. On prenait garde de respirer la bouche ouverte ; une sensation de froid et de mouillé pénétrait les poitrines.

En même temps, la pêche allait de plus en plus vite, et on ne causait plus, tant les lignes donnaient ; à tout instant on entendait tomber à bord de gros poissons, lancés sur les planches avec un bruit de fouet ; après, ils se trémoussaient rageusement en claquant de la queue contre le bois du pont ; tout était éclaboussé de l'eau de la mer et des fines écailles argentées qu'ils jetaient en se débattant. Le marin qui leur fendait le ventre avec son grand couteau, dans sa précipitation, s'entaillait les doigts, et son sang bien rouge se mêlait à la saumure.

## X

Ils restèrent, cette fois, dix jours d'affilée pris dans
la brume épaisse, sans rien voir. La pêche continuait
d'être bonne et, avec tant d'activité, on ne s'ennuyait
pas. De temps en temps, à intervalles réguliers, l'un
d'eux soufflait dans une trompe de corne d'où sortait
un bruit pareil au beuglement d'une bête sauvage.

Quelquefois, du dehors, du fond des brumes blanches, un autre beuglement lointain répondait à leur
appel. Alors on veillait davantage. Si le cri se rapprochait, toutes les oreilles se tendaient vers ce voisin
inconnu, qu'on n'apercevrait sans doute jamais et
dont la présence était pourtant un danger. On faisait
des conjectures sur lui ; il devenait une occupation,
une société, et, par envie de le voir, les yeux s'effor-
çaient à percer les impalpables mousselines blanches
qui restaient tendues partout dans l'air.

Puis il s'éloignait, les beuglements de sa trompe
mouraient dans le lointain sourd ; alors on se retrouvait seul dans le silence, au milieu de cet infini de
vapeurs immobiles. Tout était imprégné d'eau ; tout
était ruisselant de sel et de saumure. Le froid devenait
plus pénétrant ; le soleil s'attardait davantage à traîner
sous l'horizon ; il y avait déjà de vraies nuits d'une ou
deux heures, dont la tombée grise était sinistre et gla-
ciale.

Chaque matin on sondait avec un plomb la hauteur
des eaux, de peur que la *Marie* ne se fût trop rappro-

chée de l'île d'Islande. Mais toutes les *lignes* du bord
filées bout à bout n'arrivaient pas à toucher le lit de la
mer : on était donc bien au large, et en belle eau
profonde.

La vie était saine et rude ; ce froid plus piquant
augmentait le bien-être du soir, l'impression de gîte
bien chaud qu'on éprouvait dans la cabine en chêne
massif, quand on y descendait pour souper ou pour
dormir.

Dans le jour, ces hommes, qui étaient plus cloîtrés
que des moines, causaient peu entre eux. Chacun
tenant sa ligne, restait pendant des heures et des
heures à son même poste invariable, les bras seuls
occupés au travail incessant de la pêche. Ils n'étaient
séparés les uns des autres que de deux ou trois mètres,
et ils finissaient par ne plus se voir.

Ce calme de la brume, cette obscurité blanche
endormaient l'esprit. Tout en pêchant, on se chantait
pour soi-même quelque air du pays à demi-voix, de
peur d'éloigner les poissons. Les pensées se faisaient
plus lentes et plus rares ; elles semblaient se distendre,
s'allonger en durée afin d'arriver à remplir le temps
sans y laisser des vides, des intervalles de non-être. On
n'avait plus du tout l'idée aux femmes, parce qu'il
faisait déjà froid ; mais on rêvait à des choses incohé-
rentes ou merveilleuses, comme dans le sommeil, et la
trame de ces rêves était aussi peu serrée qu'un
brouillard...

Ce brumeux mois d'août, il avait coutume de clore
ainsi chaque année, d'une manière triste et tranquille,
la saison d'Islande. Autrement c'était toujours la
même plénitude de vie physique, gonflant les poitrines
et faisant aux marins des muscles durs.

Yann avait bien retrouvé tout de suite ses façons
d'être habituelles, comme si son grand chagrin n'eût
pas persisté : vigilant et alerte, prompt à la manœuvre
et à la pêche, l'allure désinvolte comme qui n'a pas de
soucis ; du reste, communicatif à ses heures seulement
— qui étaient rares — et portant toujours la tête aussi
haute avec son air à la fois indifférent et dominateur.

Le soir, au souper, dans le logis fruste que protégeait la Vierge de faïence, quand on était attablé, le grand couteau en main, devant quelque bonne assiettée toute chaude, il lui arrivait, comme autrefois, de rire aux choses drôles que les autres disaient.

En lui-même, peut-être, s'occupait-il un peu de cette Gaud, que Sylvestre lui avait sans doute donnée pour femme dans ses dernières petites idées d'agonie — et qui était devenue une pauvre fille à présent, sans personne au monde... Peut-être bien surtout, le deuil de ce frère durait-il encore dans le fond de son cœur...

Mais ce cœur d'Yann était une région vierge, difficile à gouverner, peu connue, où se passaient des choses qui ne se révélaient pas au-dehors.

# XI

Un matin, vers trois heures, tandis qu'ils rêvaient tranquillement sous leur suaire [1] de brume, ils entendirent comme des bruits de voix dont le timbre leur sembla étrange et non connu d'eux. Ils se regardèrent, les uns les autres, ceux qui étaient sur le pont, s'interrogeant d'un coup d'œil :

« Qui est-ce qui a parlé ? »

Non, personne ; personne n'avait rien dit.

Et, en effet, cela avait bien eu l'air de sortir du vide extérieur.

Alors, celui qui était chargé de la trompe, et qui l'avait négligée depuis la veille, se précipita dessus, en se gonflant de tout son souffle pour pousser le long beuglement d'alarme.

Cela seul faisait déjà frissonner, dans ce silence. Et puis, comme si, au contraire, une apparition eût été évoquée par ce son vibrant de cornemuse, une grande chose imprévue s'était dessinée en grisaille, s'était dressée menaçante, très haut tout près d'eux : des mâts, des vergues, des cordages, un dessin de navire qui s'était fait en l'air, partout à la fois et d'un même coup, comme ces fantasmagories pour effrayer qui, d'un seul jet de lumière, sont créées sur des voiles tendus. Et d'autres hommes apparaissaient là, à les toucher, penchés sur le rebord, les regardant avec des

1. Le « suaire » est un linceul.

yeux très ouverts, dans un réveil de surprise et d'épouvante...

Ils se jetèrent sur des avirons, des mâts de
rechange, des gaffes — tout ce qui se trouva dans la
drôme ¹ de long et de solide — et les pointèrent en
dehors pour tenir à distance cette chose et ces visi-
teurs qui leur arrivaient. Et les autres aussi, effarés,
allongeaient vers eux d'énormes bâtons pour les
repousser.

Mais il n'y eut qu'un craquement très léger dans
les vergues, au-dessus de leurs têtes, et les mâtures,
un instant accrochées, se dégagèrent aussitôt sans
aucune avarie ; le choc, très doux par ce calme, était
tout à fait amorti ; il avait été si faible même, que
vraiment il semblait que cet autre navire n'eût pas de
masse et qu'il fût une chose molle, presque sans
poids...

Alors, le saisissement passé, les hommes se mirent à
rire ; ils se reconnaissaient entre eux :

« Ohé ! de la *Marie*.

— Eh ! Gaos, Laumec, Guermeur ! »

L'apparition, c'était la *Reine-Berthe*, capitaine Larvoër, aussi de Paimpol ; ces matelots étaient des villages d'alentour ; ce grand-là tout en barbe noire,
montrant ses dents dans son rire, c'était Kerjégou, un
de Ploudaniel ; et les autres venaient de Plounès ou de
Plounérin.

« Aussi, pourquoi ne sonniez-vous pas de votre
trompe, bande de sauvages ? demandait Larvoër de la
*Reine-Berthe*.

— Eh bien, et vous donc, bande de pirates et
d'écumeurs, *mauvaise poison* de la mer ?...

— Oh ! nous... c'est différent ; *ça nous est défendu de
faire du bruit.* » (Il avait répondu cela avec un air de
sous-entendre quelque mystère noir ; avec un sourire
drôle, qui, par la suite, revint souvent en tête à ceux
de la *Marie* et leur donna à penser beaucoup.)

_____
1. La « drôme » désigne les pièces de rechange disposées sur le
pont d'un navire.

Et puis comme s'il en eût dit trop long, il finit par cette plaisanterie :

« Notre corne à nous, c'est celui-là, en soufflant dedans, qui nous l'a crevée. »

Et il montrait un matelot à figure de triton, qui était tout en cou et tout en poitrine, trop large, bas sur jambes, avec je ne sais quoi de grotesque et d'inquiétant dans sa puissance difforme.

Et pendant qu'on se regardait là, attendant que quelque brise ou quelque courant d'en dessous voulût bien emmener l'un plus vite que l'autre, séparer les navires, on engagea une causerie. Tous appuyés en bâbord, se tenant en respect au bout de leurs longs morceaux de bois, comme eussent fait des assiégés avec des piques, ils parlèrent des choses du pays, des dernières lettres reçues par les « chasseurs », des vieux parents et des femmes.

« Moi, disait Kerjégou, la *mienne* me marque qu'elle vient d'avoir son petit que nous attendions ; ça va nous en faire la douzaine tout à l'heure. »

Un autre avait eu deux jumeaux, et un troisième annonçait le mariage de la belle Jannie Caroff — une fille très connue des Islandais — avec certain vieux richard infirme, de la commune de Plourivo.

Ils se voyaient comme à travers des gazes blanches, et il semblait que cela changeât aussi le son des voix qui avait quelque chose d'étouffé et de lointain.

Cependant Yann ne pouvait détacher ses yeux d'un de ces pêcheurs, un petit homme déjà vieillot qu'il était sûr de n'avoir jamais vu nulle part et qui pourtant lui avait dit tout de suite : « Bonjour, mon grand Yann ! » avec un air d'intime connaissance ; il avait la laideur irritante des singes, avec leur clignotement de malice dans ses yeux perçants.

« Moi, disait encore Larvoër, de la *Reine-Berthe,* on m'a marqué la mort du petit-fils de la vieille Yvonne Moan, de Ploubazlanec, qui faisait son service à l'État, comme vous savez, sur l'escadre de Chine ; un bien grand dommage ! »

Entendant cela, les autres de la *Marie* se tournèrent

vers Yann pour savoir s'il avait déjà connaissance de
ce malheur.

« Oui, dit-il d'une voix basse, l'air indifférent et
hautain, c'était sur la dernière lettre que mon père m'a
envoyée. »

Ils le regardaient tous, dans la curiosité qu'ils
avaient de son chagrin, et cela l'irritait.

Leurs propos se croisaient à la hâte, au travers du
brouillard pâle, pendant que fuyaient les minutes de
leur bizarre entrevue.

« Ma femme me marque en même temps, continuait Larvoër, que la fille de M. Mével a quitté la ville
pour demeurer à Ploubazlanec et soigner la vieille
Moan, sa grand-tante ; elle s'est mise à travailler à
présent, en journée chez le monde, pour gagner sa vie.
D'ailleurs, j'avais toujours eu dans l'idée, moi, que
c'était une brave fille, et une courageuse, malgré ses
airs de demoiselle et ses falbalas. »

Alors, de nouveau, on regarda Yann, ce qui acheva
de lui déplaire, et une couleur rouge lui monta aux
joues sous son hâle doré.

Par cette appréciation sur Gaud fut clos l'entretien
avec ces gens de la *Reine-Berthe* qu'aucun être vivant
ne devait plus jamais revoir. Depuis un instant, leurs
figures semblaient déjà plus effacées, car leur navire
était moins près, et, tout à coup ceux de la *Marie*
ne trouvèrent plus rien à pousser, plus rien au bout
de leurs longs morceaux de bois ; tous leurs
« espars [1] », avirons, mâts ou vergues, s'agitèrent en
cherchant dans le vide, puis retombèrent les uns
après les autres lourdement dans la mer, comme de
grands bras morts. On rentra donc ces défenses inutiles : la *Reine-Berthe*, replongée dans la brume profonde, avait disparu brusquement tout d'une pièce,
comme s'efface l'image d'un transparent derrière
lequel la lampe a été soufflée. Ils essayèrent de la
héler, mais rien ne répondit à leurs cris — qu'une

1. Les « espars » sont de longues pièces de bois destinées à remplacer un mât ou une vergue.

espèce de clameur moqueuse à plusieurs voix, terminée en un gémissement qui les fit se regarder avec surprise...

Cette *Reine-Berthe* ne revint point avec les autres Islandais et, comme ceux du *Samuel-Azénide* avaient rencontré dans un fiord une épave non douteuse (son couronnement d'arrière avec un morceau de sa quille), on ne l'attendit plus ; dès le mois d'octobre, les noms de tous ses marins furent inscrits dans l'église sur des plaques noires.

Or, depuis cette dernière apparition, dont les gens de la *Marie* avaient bien retenu la date, jusqu'à l'époque du retour, il n'y avait eu aucun mauvais temps dangereux sur la mer d'Islande, tandis que, au contraire, trois semaines auparavant, une bourrasque d'ouest avait emporté plusieurs marins et deux navires. On se rappela alors le sourire de Larvoër et, en rapprochant toutes ces choses, on fit beaucoup de conjectures ; Yann revit plus d'une fois, la nuit, le marin au clignotement de singe, et quelques-uns de la *Marie* se demandèrent craintivement si, ce matin-là, ils n'avaient point causé avec des trépassés.

# XII

L'été s'avança et, à la fin d'août, en même temps que les premiers brouillards du matin, on vit les Islandais revenir.

Depuis trois mois déjà, les deux abandonnées habitaient ensemble, à Ploubazlanec, la chaumière des Moan ; Gaud avait pris place de fille dans ce pauvre nid de marins morts. Elle avait envoyé là tout ce qu'on lui avait laissé après la vente de la maison de son père : son beau lit *à la mode des villes* et ses belles jupes de différentes couleurs. Elle avait fait elle-même sa nouvelle robe noire d'une façon plus simple et portait, comme la vieille Yvonne, une coiffe de deuil en mousseline épaisse ornée seulement de plis.

Tous les jours, elle travaillait à des ouvrages de couture chez les gens riches de la ville et rentrait à la nuit, sans être distraite en chemin par aucun amoureux, restée un peu hautaine, et encore entourée d'un respect de demoiselle ; en lui disant bonsoir, les garçons mettaient, comme autrefois, la main à leur chapeau.

Par les beaux crépuscules d'été, elle s'en revenait de Paimpol, tout le long de cette route de falaise, aspirant le grand air marin qui repose. Les travaux d'aiguille n'avaient pas eu le temps de la déformer — comme d'autres, qui vivent toujours penchées de côté sur leur ouvrage — et, en regardant la mer, elle redressait la belle taille souple qu'elle tenait de race ; en regardant la mer, en regardant le large, tout au fond duquel était Yann...

Cette même route menait chez lui. En continuant un peu, vers certaine région plus pierreuse et plus balayée par le vent, on serait arrivé à ce hameau de Pors-Even où les arbres, couverts de mousses grises, croissent tout petits entre les pierres et se couchent dans le sens des rafales d'ouest. Elle n'y retournerait sans doute jamais, dans ce Pors-Even, bien qu'il fût à moins d'une lieue ; mais, une fois dans sa vie, elle y était allée et cela avait suffi pour laisser un charme sur tout son chemin ; Yann, d'ailleurs, devait souvent y passer et, de sa porte, elle pourrait le suivre allant ou venant sur la lande rase, entre les ajoncs courts. Donc elle aimait toute cette région de Ploubazlanec ; elle était presque heureuse que le sort l'eût rejetée là : en aucun autre lieu du pays elle n'eût pu se faire à vivre.

À cette saison de fin d'août, il y a comme un alanguissement de pays chaud qui remonte du midi vers le nord ; il y a des soirées lumineuses, des reflets du grand soleil d'ailleurs qui viennent traîner jusque sur la mer bretonne. Très souvent, l'air est limpide et calme, sans aucun nuage nulle part.

Aux heures où Gaud s'en revenait, les choses se fondaient déjà ensemble pour la nuit, commençaient à se réunir et à former des silhouettes. Çà et là, un bouquet d'ajoncs se dressait sur une hauteur entre deux pierres, comme un panache ébouriffé ; un groupe d'arbres tordus formait un amas sombre dans un creux, ou bien, ailleurs, quelque hameau à toit de paille dessinait au-dessus de la lande une petite découpure bossue. Aux carrefours, les vieux christs qui gardaient la campagne étendaient leurs bras noirs sur les calvaires, comme de vrais hommes suppliciés, et, dans le lointain, la Manche se détachait en clair, en grand miroir jaune sur un ciel qui était déjà obscurci par le bas, déjà ténébreux vers l'horizon. Et dans ce pays, même ce calme, même ces beaux temps, étaient mélancoliques ; il restait, malgré tout, une inquiétude planant sur les choses ; une anxiété venue de la mer à qui tant d'existences étaient confiées et dont l'éternelle menace n'était qu'endormie.

Gaud, qui songeait en chemin, ne trouvait jamais assez longue sa course de retour au grand air. On sentait l'odeur salée des grèves, et l'odeur douce de certaines fleurs qui croissent sur les falaises entre les épines maigres. Sans la grand-mère Yvonne qui l'attendait au logis, volontiers elle se serait attardée dans ces sentiers d'ajoncs, à la manière de ces belles demoiselles qui aiment à rêver, les soirs d'été, dans les parcs.

En traversant ce pays, il lui revenait bien aussi quelques souvenirs de sa petite enfance ; mais comme ils étaient effacés à présent, reculés, amoindris par son amour ! Malgré tout, elle voulait considérer ce Yann comme une sorte de fiancé — un fiancé fuyant, dédaigneux, sauvage, qu'elle n'aurait jamais ; mais à qui elle s'obstinerait à rester fidèle en esprit, sans plus confier cela à personne. Pour le moment, elle aimait à le savoir en Islande ; là, au moins, la mer le lui gardait dans ses cloîtres profonds et il ne pouvait se donner à aucune autre...

Il est vrai qu'un de ces jours il allait revenir, mais elle envisageait aussi ce retour avec plus de calme qu'autrefois. Par instinct, elle comprenait que sa pauvreté ne serait pas un motif pour être plus dédaignée — car il n'était pas un garçon comme les autres. — Et puis cette mort du petit Sylvestre était une chose qui les rapprochait décidément. À son arrivée, il ne pourrait manquer de venir sous leur toit pour voir la grand-mère de son ami ; et elle avait décidé qu'elle serait là pour cette visite, il ne lui semblait pas que ce fût manquer de dignité ; sans paraître se souvenir de rien, elle lui parlerait comme à quelqu'un que l'on connaît depuis longtemps ; elle lui parlerait même avec affection comme à un frère de Sylvestre, en tâchant d'avoir l'air naturel. Et qui sait ? il ne serait peut-être pas impossible de prendre auprès de lui une place de sœur, à présent qu'elle allait être si seule au monde ; de se reposer sur son amitié ; de la lui demander comme un soutien, en s'expliquant assez pour qu'il ne crût plus à aucune arrière-pensée de mariage. Elle le jugeait sauvage seulement, entêté dans ses idées d'indépendance, mais doux, franc, et capable de bien comprendre les choses bonnes qui viennent tout droit du cœur.

Qu'allait-il éprouver, en la retrouvant là, pauvre dans cette chaumière presque en ruine ?... Bien pauvre, oh ! oui, car la grand-mère Moan, n'étant plus assez forte pour aller en journées aux lessives, n'avait plus rien que sa pension de veuve ; il est vrai, elle mangeait bien peu maintenant, et toutes deux pouvaient encore s'arranger pour vivre sans demander rien à personne...

La nuit était toujours tombée quand elle arrivait au logis ; avant d'entrer, il fallait descendre un peu, sur des roches usées, la chaumière se trouvant en contrebas de ce chemin de Ploubazlanec, dans la partie de terrain qui s'incline vers la grève. Elle était presque cachée sous son épais toit de paille brune, tout gondolé, qui ressemblait au dos de quelque énorme bête morte effondrée sous ses poils durs. Ses murailles avaient la couleur sombre et la rudesse des rochers, avec des mousses et du cochléaria [1] formant de petites touffes vertes. On montait les trois marches gondolées du seuil, et on ouvrait le loquet intérieur de la porte au moyen d'un bout de corde de navire qui sortait par un trou. En entrant, on voyait d'abord en face de soi la lucarne, percée comme dans l'épaisseur d'un rempart, et donnant sur la mer d'où venait une dernière clarté jaune pâle. Dans la grande cheminée flambaient des brindilles odorantes de pin et de hêtre, que la vieille Yvonne ramassait dans ses promenades le long des chemins ; elle-même était là assise, surveillant leur petit souper ; dans son intérieur, elle portait un serre-tête seulement, pour ménager ses coiffes ; son profil, encore joli, se décou-

---

1. « Cochléaria » = herbacée douée de propriétés antiscorbutiques.

pait sur la lueur rouge de son feu. Elle levait vers
Gaud ses yeux jadis bruns, qui avaient pris une couleur passée, tournée au bleuâtre, et qui étaient troubles, incertains, égarés de vieillesse. Elle disait toutes
les fois la même chose :

« Ah ! mon Dieu, ma bonne fille, comme tu rentres
tard ce soir...

— Mais non, grand-mère, répondait doucement
Gaud qui y était habituée. Il est la même heure que
les autres jours.

— Ah !... me semblait à moi, ma fille, me semblait
qu'il était plus tard que de coutume. »

Elles soupaient sur une table devenue presque
informe à force d'être usée, mais encore épaisse
comme le tronc d'un chêne. Et le grillon ne manquait
jamais de leur recommencer sa petite musique à son
d'argent.

Un des côtés de la chaumière était occupé par des
boiseries grossièrement sculptées et aujourd'hui toutes
vermoulues ; en s'ouvrant, elles donnaient accès dans
des étagères où plusieurs générations de pêcheurs
avaient été conçus, avaient dormi, et où les mères
vieillies étaient mortes.

Aux solives noires du toit s'accrochaient des usten-
siles de ménage très anciens, des paquets d'herbes,
des cuillers de bois, du lard fumé ; aussi de vieux
filets, qui dormaient là depuis le naufrage des derniers
fils Moan, et dont les rats venaient la nuit couper les
mailles.

Le lit de Gaud, installé dans un angle avec ses
rideaux de mousseline blanche, faisait l'effet d'une
chose élégante et fraîche, apportée dans une hutte de
Celte.

Il y avait une photographie de Sylvestre en matelot,
dans un cadre, accrochée au granit du mur. Sa grand-
mère y avait attaché sa médaille militaire, avec une de
ces paires d'ancres en drap rouge que les marins portent sur la manche droite, et qui venait de lui ; Gaud
lui avait aussi acheté à Paimpol une de ces couronnes
funéraires en perles noires et blanches dont on

entoure, en Bretagne, les portraits des défunts. C'était là son petit mausolée, tout ce qu'il avait pour consacrer sa mémoire, dans son pays breton...

Les soirs d'été, elles ne veillaient pas, par économie de lumière ; quand le temps était beau, elles s'asseyaient un moment sur un banc de pierre, devant la maison, et regardaient le monde qui passait dans le chemin un peu au-dessus de leur tête.

Ensuite la vieille Yvonne se couchait dans son étagère d'armoire, et Gaud, dans son lit de demoiselle ; là, elle s'endormait assez vite, ayant beaucoup travaillé, beaucoup marché et songeant au retour des Islandais en fille sage, résolue, sans un trouble trop grand...

# XIII

Mais un jour, à Paimpol, entendant dire que la *Marie* venait d'arriver, elle se sentit prise d'une espèce de fièvre. Tout son calme d'attente l'avait abandonnée ; ayant brusqué la fin de son ouvrage, sans savoir pourquoi, elle se mit en route plus tôt que de coutume — et, dans le chemin, comme elle se hâtait, elle le reconnut de loin qui venait à l'encontre d'elle.

Ses jambes tremblaient et elle les sentait fléchir. Il était déjà tout près, se dessinant à vingt pas à peine, avec sa taille superbe, ses cheveux bouclés sous son bonnet de pêcheur. Elle se trouvait prise si au dépourvu par cette rencontre, que vraiment elle avait peur de chanceler, et qu'il s'en aperçût ; elle en serait morte de honte à présent... Et puis elle se croyait mal coiffée, avec un air fatigué pour avoir fait son ouvrage trop vite : elle eût donné je ne sais quoi pour être cachée dans les touffes d'ajoncs, disparue dans quelque trou de fouine. Du reste, lui aussi avait eu un mouvement de recul, comme pour essayer de changer de route. Mais c'était trop tard : ils se croisèrent dans l'étroit chemin.

Lui, pour ne pas la frôler, se rangea contre le talus, d'un bond de côté comme un cheval ombrageux qui se dérobe, en la regardant d'une manière furtive et sauvage.

Elle aussi, pendant une demi-seconde, avait levé les yeux, lui jetant malgré elle-même une prière et une angoisse. Et, dans ce croisement involontaire de leurs regards, plus rapide qu'un coup de feu, ses prunelles gris de lin avaient paru s'élargir, s'éclairer de quelque grande flamme de pensée, lancer une vraie lueur bleuâtre, tandis que sa figure était devenue toute rose jusqu'aux tempes, jusque sous les tresses blondes.

Il avait dit en touchant son bonnet :

« Bonjour, mademoiselle Gaud !

— Bonjour, monsieur Yann », répondit-elle.

Et ce fut tout ; il était passé. Elle continua sa route, encore tremblante, mais sentant peu à peu, à mesure qu'il s'éloignait, le sang reprendre son cours et la force revenir...

Au logis, elle trouva la vieille Moan assise dans un coin, la tête entre ses mains, qui pleurait, qui faisait son *hi ! hi ! hi !* de petit enfant, toute dépeignée, sa queue de cheveux tombée de son serre-tête comme un maigre écheveau de chanvre gris :

« Ah ! ma bonne Gaud, c'est le fils Gaos que j'ai rencontré du côté de Plouherzel, comme je m'en retournais de ramasser mon bois ; alors nous avons parlé de mon pauvre petit, tu penses bien. Ils sont arrivés ce matin de l'Islande et, dès ce midi, il était venu pour me faire une visite pendant que j'étais dehors. Pauvre garçon, il avait les larmes aux yeux lui aussi... Jusqu'à ma porte, qu'il a voulu me raccompagner, ma bonne Gaud, pour me porter mon petit fagot... »

Elle écoutait cela, debout, et son cœur se serrait à mesure : ainsi, cette visite de Yann, sur laquelle elle avait tant compté pour lui dire tant de choses, était déjà faite, et ne se renouvellerait sans doute plus ; c'était fini...

Alors la chaumière lui sembla plus désolée, la misère plus dure, le monde plus vide — et elle baissa la tête avec une envie de mourir.

## XIV

L'hiver vint peu à peu, s'étendit comme un linceul qu'on laisserait très lentement tomber. Les journées grises passèrent après les journées grises, mais Yann ne reparut plus — et les deux femmes vivaient bien abandonnées.

Avec le froid, leur existence était plus coûteuse et plus dure.

Et puis la vieille Yvonne devenait difficile à soigner. Sa pauvre tête s'en allait ; elle se fâchait maintenant, disait des méchancetés et des injures ; une fois ou deux par semaine, cela la prenait, comme les enfants à propos de rien.

Pauvre vieille !... elle était encore si douce dans ses bons jours clairs, que Gaud ne cessait de la respecter ni de la chérir. Avoir toujours été bonne, et finir par être mauvaise ; étaler, à l'heure de la fin, tout un fonds de malice qui avait dormi durant la vie, toute une science de mots grossiers qu'on avait cachée, quelle dérision de l'âme et quel mystère moqueur !

Elle commençait à chanter aussi, et cela faisait encore plus de mal à entendre que ses colères ; c'étaient, au hasard des choses qui lui revenaient en tête, des *oremus* de messe, ou bien des couplets très vilains qu'elle avait entendus jadis sur le port, répétés par des matelots. Il lui arrivait d'entonner les *Fillettes de Paimpol* ; ou bien, en balançant la tête et battant la mesure avec son pied, elle prenait :

> Mon mari vient de partir ;
> Pour la pêche d'Islande, mon mari vient de partir,
> Il m'a laissée sans le sou,
> Mais... trala, trala la lou...
> J'en gagne !
> J'en gagne !...

Chaque fois, cela s'arrêtait tout court, en même temps que ses yeux s'ouvraient bien grands dans le vague en perdant toute expression de vie — comme ces flammes déjà mourantes qui s'agrandissent subitement pour s'éteindre. Et après, elle baissait la tête, restait longtemps caduque, en laissant pendre la mâchoire d'en bas à la manière des morts.

Elle n'était plus bien propre non plus, et c'était un autre genre d'épreuve sur lequel Gaud n'avait pas compté.

Un jour, il lui arriva de ne plus se souvenir de son petit-fils.

« Sylvestre ? Sylvestre ?... disait-elle à Gaud, en ayant l'air de chercher qui ce pouvait bien être ; ah dame ! ma bonne, tu comprends, j'en ai eu tant quand j'étais jeune, des garçons, des filles, des filles et des garçons, qu'à cette heure, ma foi !... »

Et, en disant cela, elle lançait en l'air ses pauvres mains ridées, avec un geste d'insouciance presque libertine...

Le lendemain, par exemple, elle se souvenait bien de lui ; et en citant mille petites choses qu'il avait faites ou qu'il avait dites, toute la journée elle le pleura.

Oh ! ces veillées d'hiver, quand les branchages manquaient pour faire du feu ! Travailler ayant froid, travailler pour gagner sa vie, coudre menu, achever avant de dormir les ouvrages rapportés chaque soir de Paimpol.

La grand-mère Yvonne, assise dans la cheminée, restait tranquille, les pieds contre les dernières braises, les mains ramassées sous son tablier. Mais au commencement de la soirée, il fallait toujours tenir des conversations avec elle.

« Tu ne me dis rien, ma bonne fille, pourquoi ça donc ? Dans mon temps à moi, j'en ai pourtant connu de ton âge qui savaient causer. Me semble que nous n'aurions pas l'air si triste, là, toutes les deux, si tu voulais parler un peu. »

Alors Gaud racontait des nouvelles quelconques qu'elle avait apprises en ville, ou disait les noms des gens qu'elle avait rencontrés en chemin, parlait de choses qui lui étaient bien indifférentes à elle-même, comme, du reste, tout au monde à présent, puis s'arrêtait au milieu de ses histoires quand elle voyait la pauvre vieille endormie.

Rien de vivant, rien de jeune autour d'elle dont la fraîche jeunesse appelait la jeunesse. Sa beauté allait se consumer, solitaire et stérile...

Le vent de la mer, qui arrivait de partout, agitait sa lampe, et le bruit des lames s'entendait là comme dans un navire ; en l'écoutant, elle y mêlait le souvenir toujours présent et douloureux de Yann, dont ces choses étaient le domaine ; durant les grandes nuits d'épouvante où tout était déchaîné et hurlant dans le noir du dehors, elle songeait avec plus d'angoisse à lui.

Et puis seule, toujours seule avec cette grand-mère qui dormait, elle avait peur quelquefois et regardait dans les coins obscurs, en pensant aux marins ses ancêtres, qui avaient vécu dans ces étagères d'armoires, qui avaient péri au large pendant des semblables nuits, et dont les âmes pouvaient revenir ; elle ne se sentait pas protégée contre la visite de ces morts par la présence de cette si vieille femme qui était déjà presque des leurs.

Tout à coup, elle frémissait de la tête aux pieds, en entendant partir du coin de la cheminée un petit filet de voix cassé, flûté, comme étouffé sous terre. D'un ton guilleret qui donnait froid à l'âme, la voix chantait :

> Pour la pêche d'Islande, mon mari vient de partir ;
> Il m'a laissée sans le sou,
> Mais... trala, trala, la lou...

Et alors elle subissait ce genre particulier de frayeur que cause la compagnie des folles.

La pluie tombait, tombait, avec un petit bruit incessant de fontaine ; on l'entendait presque sans répit ruisseler dehors sur les murs. Dans le vieux toit de mousse, il y avait des gouttières qui, toujours aux mêmes endroits, infatigables, monotones, faisaient le même tintement triste ; elles détrempaient par places le sol du logis, qui était de roches et de terre battue avec des graviers et des coquilles.

On sentait l'eau partout autour de soi, elle vous enveloppait de ses masses froides, infinies : une eau tourmentée, fouettante, s'émiettant dans l'air, épaississant l'obscurité, et isolant encore davantage les unes des autres les chaumières éparses du pays de Ploubazlanec.

Les soirées de dimanche étaient pour Gaud les plus sinistres, à cause d'une certaine gaieté qu'elles apportaient ailleurs : c'étaient des espèces de soirées joyeuses, même dans ces petits hameaux perdus de la côte ; il y avait toujours, ici ou là, quelque chaumière fermée, battue par la pluie noire, d'où partaient des chants lourds. Au-dedans, des tables alignées pour les buveurs ; des marins se séchant à des flambées fumeuses ; les vieux se contentant avec de l'eau-de-vie, les jeunes courtisant des filles, tous allant jusqu'à l'ivresse, et chantant pour s'étourdir. Et, près d'eux, la mer, leur tombeau de demain, chantait aussi, emplissant la nuit de sa voix immense...

Certains dimanches, des bandes de jeunes hommes, qui sortaient de ces cabarets-là ou revenaient de Paimpol, passaient dans le chemin, près de la porte des Moan ; c'étaient ceux qui habitaient à l'extrémité

des terres, vers Pors-Even. Ils passaient très tard,
échappés des bras des filles, insouciants de se
mouiller, coutumiers des rafales et des ondées. Gaud
tendait l'oreille à leurs chansons et à leurs cris — très
vite noyés dans le bruit des bourrasques ou de la houle
— cherchant à démêler la voix de Yann, se sentant
trembler ensuite quand elle s'imaginait l'avoir
reconnue.

N'être pas revenu les voir, c'était mal de la part de
ce Yann ; et mener une vie joyeuse, si près de la mort
de Sylvestre — tout cela ne lui ressemblait pas ! Non
elle ne le comprenait plus décidément — et, malgré
tout, ne pouvait se détacher de lui ni croire qu'il fût
sans cœur.

Le fait est que, depuis son retour, sa vie était bien
dissipée.

D'abord il y avait eu la tournée habituelle d'octobre
dans le golfe de Gascogne — et c'est toujours pour ces
Islandais une période de plaisir, un moment où ils ont
dans leur bourse un peu d'argent à dépenser sans
souci (de petites avances pour s'amuser, que les capitaines donnent sur les grandes parts de pêche, paya-
bles seulement en hiver).

On était allé, comme tous les ans, chercher du sel
dans les îles, et lui s'était repris d'amour, à Saint-
Martin-de-Ré, pour certaine fille brune, sa maîtresse
du précédent automne. Ensemble ils s'étaient promenés, au dernier gai soleil, dans les vignes rousses
toutes remplies du chant des alouettes, tout embau-
mées par les raisins mûrs, les œillets des sables et les
senteurs marines des plages ; ensemble ils avaient
chanté et dansé des rondes à ces veillées de vendange
où l'on se grise, d'une ivresse amoureuse et légère, en
buvant le vin doux.

Ensuite, la *Marie* ayant poussé jusqu'à Bordeaux, il
avait retrouvé, dans un grand estaminet tout en
dorures, la belle chanteuse à la montre, et s'était négligemment laissé adorer pendant huit nouveaux jours.

Revenu en Bretagne au mois de novembre, il avait
assisté à plusieurs mariages de ses amis, comme

garçon d'honneur, tout le temps dans ses beaux habits de fête, et souvent ivre après minuit, sur la fin des bals. Chaque semaine, il lui arrivait quelque aventure nouvelle, que les filles s'empressaient de raconter à Gaud, en exagérant.

Trois ou quatre fois, elle l'avait vu de loin venir en face d'elle sur ce chemin de Ploubazlanec, mais toujours à temps pour l'éviter ; lui aussi du reste, dans ces cas-là, prenait à travers la lande. Comme par une entente muette, maintenant ils se fuyaient.

# XV

À Paimpol, il y a une grosse femme appelée Mme Tressoleur ; dans une des rues qui mènent au port, elle tient un cabaret fameux parmi les Islandais, où des capitaines et des armateurs viennent enrôler des matelots, faire leur choix parmi les plus forts, en buvant avec eux.

Autrefois belle, encore galante avec les pêcheurs, elle a des moustaches à présent, une carrure d'homme et la réplique hardie. Un air de cantinière, sous une grande coiffure blanche de nonnain ; en elle, un je ne sais quoi de religieux, qui persiste quand même parce qu'elle est bretonne. Dans sa tête, les noms de tous les marins du pays tiennent comme sur un registre ; elle connaît les bons, les mauvais, sait au plus juste ce qu'ils gagnent et ce qu'ils valent.

Un jour de janvier, Gaud, ayant été mandée pour lui faire une robe, vint travailler là, dans une chambre, derrière la salle aux buveurs...

Chez cette dame Tressoleur, on entre par une porte aux massifs piliers de granit, qui est en retrait sous le premier étage de la maison, à la mode ancienne ; quand on l'ouvre, il y a presque toujours quelque rafale engouffrée dans la rue qui la pousse, et les arrivants font des entrées brusques, comme lancés par une lame de houle. La salle est basse et profonde, passée à la chaux blanche et ornée de cadres dorés où se voient des navires, des abordages, des naufrages.

Dans un angle, une Vierge en faïence est posée sur une console, entre des bouquets artificiels.

Ces vieux murs ont entendu vibrer bien des chants puissants de matelots, ont vu s'épanouir bien des gaietés lourdes et sauvages — depuis les temps reculés de Paimpol, en passant par l'époque agitée des corsaires, jusqu'à ces Islandais de nos jours très peu différents de leurs ancêtres. Et bien des existences d'hommes ont été jouées, engagées, là, entre deux ivresses, sur ces tables de chêne.

Gaud, tout en cousant cette robe, avait l'oreille à une conversation sur les choses d'Islande qui se tenait derrière la cloison entre Mme Tressoleur et deux *retraités* assis à boire.

Ils discutaient, les vieux, au sujet de certain beau bateau tout neuf, qu'on était en train de gréer dans le port : jamais elle ne serait parée, cette *Léopoldine*, à faire la campagne prochaine.

« Eh ! mais si, ripostait l'hôtesse, bien sûr qu'elle sera parée ! — Puisque je vous dis, moi, qu'elle a pris équipage hier : tous ceux de l'ancienne *Marie*, de Guermeur, qu'on va vendre pour la démolir ; cinq *jeunes personnes,* qui sont venues s'engager là, devant moi — à cette table, — signer avec ma plume — ainsi ! — Et des *bel'hommes,* je vous jure : Laumec, Tugdual Caroff, Yvon Duff, le fils Keraez, de Tréguier — et le grand Yann Gaos, de Pors-Even, qui en vaut bien trois ! »

La *Léopoldine* !... Le nom, à peine entendu, de ce bateau qui allait emporter Yann, s'était fixé d'un seul coup dans la mémoire de Gaud, comme si on l'y eût martelé pour le rendre plus ineffaçable.

Le soir, revenue à Ploubazlanec, installée à finir son ouvrage à la lumière de sa petite lampe, elle retrouvait dans sa tête ce mot-là toujours, dont la seule consonance l'impressionnait comme une chose triste. Les noms des personnes et ceux des navires ont une physionomie par eux-mêmes, presque un sens. Et ce *Léopoldine*, mot nouveau, inusité, la poursuivait avec une persistance qui n'était pas naturelle, devenait une sorte d'obsession sinistre. Non, elle s'était attendue à voir Yann repartir encore sur la *Marie* qu'elle avait visitée jadis, qu'elle connaissait, et dont la Vierge avait protégé pendant de longues années les dangereux voyages ; et voici que ce changement, cette *Léopoldine*, augmentait son angoisse.

Mais, bientôt, elle en vint à se dire que pourtant cela ne la regardait plus, que rien de ce qui le concernait, lui, ne devait plus la toucher jamais. Et, en effet, qu'est-ce que cela pouvait lui faire, qu'il fût ici ou ailleurs, sur un navire ou sur un autre, parti ou de retour ?... Se sentirait-elle plus malheureuse, ou moins, quand il serait en Islande ; lorsque l'été serait revenu, tiède, sur les chaumières désertées, sur les femmes solitaires et inquiètes ; — ou bien quand un nouvel automne commencerait encore, ramenant une fois de plus les pêcheurs ?... Tout cela pour elle était indifférent, semblable, également sans joie et sans espoir. Il n'y avait plus aucun lien entre eux deux, aucun motif de rapprochement, puisque même il oubliait le pauvre petit Sylvestre ; donc il fallait bien comprendre que c'en était fait pour toujours de ce seul rêve, de ce seul désir de sa vie ; elle devait se détacher de Yann, de toutes les choses qui avaient trait à son existence, même de ce nom d'Islande qui vibrait encore avec un charme si douloureux à cause de lui ; chasser absolument ces pensées, tout balayer ; se dire que c'était fini, fini à jamais...

Avec douceur elle regarda cette pauvre vieille femme endormie, qui avait encore besoin d'elle, mais qui ne tarderait pas à mourir. Et alors, après, à quoi bon vivre, à quoi bon travailler, et pour quoi faire ?...

Le vent d'ouest s'était levé dehors : les gouttières du toit avaient recommencé, sur ce grand gémissement lointain, leur bruit tranquille et léger de grelot de poupée. Et ses larmes aussi se mirent à couler, larmes d'orpheline et d'abandonnée, passant sur ses lèvres avec un petit goût amer, descendant silencieusement sur son ouvrage, comme ces pluies d'été qu'aucune brise n'amène, et qui tombent tout à coup, pressées et pesantes, de nuages trop remplis ; alors n'y voyant plus, se sentant brisée, prise de vertige devant le vide de sa vie, elle replia le corsage ample de cette dame Tressoleur et essaya de se coucher.

Dans son pauvre beau lit de demoiselle, elle frissonna en s'étendant : il devenait chaque jour plus humide et plus froid — ainsi que toutes les choses de cette chaumière. — Cependant, comme elle était très jeune, tout en continuant de pleurer, elle finit par se réchauffer et s'endormir.

Des semaines sombres avaient passé encore, et on
était déjà aux premiers jours de février, par un assez
beau temps doux.

Yann sortait de chez l'armateur, venant de toucher
sa part de pêche du dernier été, quinze cents francs,
qu'il emportait pour les remettre à sa mère, suivant la
coutume de famille. L'année avait été bonne, et il s'en
retournait content.

Près de Ploubazlanec, il vit un rassemblement au
bord de la route : une vieille, qui gesticulait avec son
bâton, et autour d'elle des gamins ameutés qui
riaient... La grand-mère Moan !... La bonne grand-
mère que Sylvestre adorait, toute traînée et déchirée,
devenue maintenant une de ces vieilles pauvresses
imbéciles qui font des attroupements sur les chemins !... Cela lui causa une peine affreuse.

Ces gamins de Ploubazlanec lui avaient tué son
chat, et elle les menaçait de son bâton, très en colère
et en désespoir :

« Ah ! s'il avait été ici, lui, mon pauvre garçon, vous
n'auriez pas osé, bien sûr, mes vilains drôles !... »

Elle était tombée, paraît-il, en courant après eux
pour les battre ; sa coiffe était de côté, sa robe pleine
de boue, et ils disaient encore qu'elle était grise
(comme cela arrive bien en Bretagne à quelques pauvres vieux qui ont eu des malheurs).

Yann savait, lui, que ce n'était pas vrai, et qu'elle

était une vieille respectable ne buvant jamais que de l'eau.

« Vous n'avez pas honte ? » dit-il aux gamins, très en colère lui aussi, avec sa voix et son ton qui imposaient.

Et, en un clin d'œil, tous les petits se sauvèrent, penauds et confus, devant le grand Gaos.

Gaud, qui justement revenait de Paimpol, rapportant de l'ouvrage pour la veillée, avait aperçu cela de loin, reconnu sa grand-mère dans ce groupe. Effrayée, elle arriva en courant pour savoir ce que c'était, ce qu'elle avait vu, ce qu'on avait pu lui faire — et comprit, voyant leur chat qu'on avait tué.

Elle leva ses yeux francs vers Yann, qui ne détourna pas les siens ; ils ne songeaient plus à se fuir cette fois, devenus seulement très roses tous deux, lui aussi vite qu'elle, d'une même montée de sang à leurs joues, ils se regardaient, avec un peu d'effarement de se trouver si près ; mais sans haine, presque avec douceur, réunis qu'ils étaient dans une commune pensée de pitié et de protection.

Il y avait longtemps que les enfants de l'école lui en voulaient, à ce pauvre matou défunt, parce qu'il avait la figure noire, un air de diable ; mais c'était un très bon chat, et, quand on le regardait de près, on lui trouvait au contraire la mine tranquille et câline. Ils l'avaient tué avec des cailloux et son œil pendait. La pauvre vieille, en marmottant toujours des menaces, s'en allait tout émue, toute branlante, emportant par la queue, comme un lapin, ce chat mort.

« Ah ! mon pauvre garçon, mon pauvre garçon... s'il était encore de ce monde, on n'aurait pas osé me faire ça, non bien sûr !... »

Il lui était sorti des espèces de larmes qui coulaient dans ses rides ; et ses mains, à grosses veines bleues, tremblaient.

Gaud l'avait recoiffée au milieu, tâchait de la consoler avec des paroles douces de petite fille. Et Yann s'indignait ; si c'était possible, que des enfants fussent si méchants ! Faire une chose pareille à une pauvre vieille femme ! Les larmes lui en venaient

presque, à lui aussi. — Non point pour ce matou, il va
sans dire : les jeunes hommes rudes comme lui, s'ils
aiment bien à jouer avec les bêtes, n'ont guère de
sensiblerie pour elles ; mais son cœur se fendait, à
marcher là derrière cette grand-mère en enfance,
emportant son pauvre chat par la queue. Il pensait à
Sylvestre, qui l'avait tant aimée ; au chagrin horrible
qu'il aurait eu si on lui avait prédit qu'elle finirait
ainsi, en dérision et en misère.

Et Gaud s'excusait, comme étant chargée de sa
tenue :

« C'est qu'elle sera tombée, pour être si sale, disait-
elle tout bas ; sa robe n'est plus bien neuve, c'est vrai,
car nous ne sommes pas riches, monsieur Yann ; mais je
l'avais encore raccommodée hier, et ce matin quand je
suis partie, je suis sûre qu'elle était propre et en ordre. »

Il la regarda alors longuement, beaucoup plus
touché peut-être par cette petite explication toute
simple qu'il ne l'eût été par d'habiles phrases, des
reproches et des pleurs. Ils continuaient de marcher
l'un près de l'autre, se rapprochant de la chaumière
des Moan. — Pour jolie, elle l'avait toujours été
comme personne, il le savait fort bien, mais il lui parut
qu'elle l'était encore davantage depuis sa pauvreté et
son deuil. Son air était devenu plus sérieux, ses yeux
gris de lin avaient l'expression plus réservée et semblaient malgré cela vous pénétrer plus avant, jusqu'au
fond de l'âme. Sa taille aussi avait achevé de se
former. Vingt-trois ans bientôt ; elle était dans tout
son épanouissement de beauté.

Et puis elle avait à présent la tenue d'une fille de
pêcheur, sa robe noire sans ornements et une coiffe
tout unie ; son air de demoiselle, on ne savait plus
bien d'où il lui venait ; c'était quelque chose de caché
en elle-même et d'involontaire dont on ne pouvait
plus lui faire reproche ; peut-être seulement son corsage, un peu plus ajusté que celui des autres, par habitude d'autrefois, dessinant mieux sa poitrine ronde et
le haut de ses bras... Mais non, cela résidait plutôt
dans sa voix tranquille et dans son regard.

Décidément il les accompagnait — jusque chez elles sans doute.

Ils s'en allaient tous trois, comme pour l'enterrement de ce chat, et cela devenait presque un peu drôle, maintenant, de les voir ainsi passer en cortège ; il y avait sur les portes des bonnes gens qui souriaient. La vieille Yvonne au milieu, portant la bête ; Gaud à sa droite, troublée et toujours très rose ; le grand Yann à sa gauche, tête haute, et pensif.

Cependant la pauvre vieille s'était presque subitement apaisée en route ; d'elle-même, elle s'était recoiffée et, sans plus rien dire, elle commençait à les observer alternativement l'un et l'autre ; du coin de son œil qui était redevenu clair.

Gaud ne parlait pas non plus, de peur de donner à Yann une occasion de prendre congé ; elle eût voulu rester sur ce bon regard doux qu'elle avait reçu de lui, marcher les yeux fermés pour ne plus voir rien autre chose, marcher ainsi bien longtemps à ses côtés dans un rêve qu'elle faisait, au lieu d'arriver si vite à leur logis vide et sombre où tout allait s'évanouir.

À la porte, il y eut une de ces minutes d'indécision pendant lesquelles il semble que le cœur cesse de battre. La grand-mère entra sans se retourner ; puis Gaud, hésitante, et Yann, par-derrière, entra aussi...

Il était chez elles, pour la première fois de sa vie ; sans but, probablement ; qu'est-ce qu'il pouvait vou-

loir ?... En passant le seuil, il avait touché son chapeau, et puis, ses yeux ayant rencontré d'abord le portrait de Sylvestre dans sa petite couronne mortuaire en
perles noires, il s'en était approché lentement comme
d'une tombe.

Gaud était restée debout, appuyée des mains à leur
table. Il regardait maintenant tout autour de lui, et
elle le suivait dans cette sorte de revue silencieuse
qu'il passait de leur pauvreté. Bien pauvre, en effet,
malgré son air rangé et honnête, le logis de ces deux
abandonnées qui s'étaient réunies. Peut-être, au
moins, éprouverait-il pour elle un peu de bonne pitié,
en la voyant redescendue à cette même misère, à ce
granit fruste et à ce chaume. Il n'y avait plus de la
richesse passée que le lit blanc, le beau lit de demoiselle, et involontairement les yeux de Yann revenaient là...

Il ne disait rien... Pourquoi ne s'en allait-il pas ?...
La vieille grand-mère, qui était encore si fine à ses
moments lucides, faisait semblant de ne pas prendre
garde à lui. Donc ils restaient debout l'un devant
l'autre, muets et anxieux, finissant par se regarder
comme pour quelque interrogation suprême.

Mais les instants passaient et, à chaque seconde
écoulée, le silence semblait entre eux se figer davantage. Et ils se regardaient toujours plus profondément,
comme dans l'attente solennelle de quelque chose
d'inouï qui tardait à venir.

......................................................................................

« Gaud, demanda-t-il à demi-voix grave, si vous
voulez toujours... »

Qu'allait-il dire ?... On devinait quelque grande
décision, brusque comme étaient les siennes, prise là
tout à coup, et osant à peine être formulée...

« Si vous voulez toujours... La pêche s'est bien vendue
cette année, et j'ai un peu d'argent devant moi... »

Si elle voulait toujours !... Que lui demandait-il ?

avait-elle bien entendu ? Elle était anéantie devant l'immensité de ce qu'elle croyait comprendre.

Et la vieille Yvonne, de son coin là-bas, dressait l'oreille, sentant du bonheur approcher...

« Nous pourrions faire notre mariage, mademoiselle Gaud, si vous vouliez toujours... »

... Et puis il attendit sa réponse, qui ne vint pas... Qui donc pouvait l'empêcher de prononcer ce oui ?... Il s'étonnait, il avait peur, et elle s'en apercevait bien. Appuyée des deux mains à la table, devenue toute blanche, avec des yeux qui se voilaient, elle était sans voix, ressemblait à une mourante très jolie...

« Eh bien, Gaud, réponds donc ! dit la vieille grand-mère qui s'était levée pour venir à eux. Voyez-vous, ça la surprend, monsieur Yann ; il faut l'excuser ; elle va réfléchir et vous répondre tout à l'heure... Asseyez-vous, monsieur Yann, et prenez un verre de cidre avec nous... »

Mais non, elle ne pouvait pas répondre, Gaud ; aucun mot ne lui venait plus, dans son extase... C'était donc vrai qu'il était bon, qu'il avait du cœur. Elle le retrouvait là, son vrai Yann, tel qu'elle n'avait jamais cessé de le voir en elle-même, malgré sa dureté, malgré son refus sauvage, malgré tout. Il l'avait dédaignée longtemps, il l'acceptait aujourd'hui — et aujourd'hui qu'elle était pauvre ; c'était son idée à lui sans doute, il avait eu quelque motif qu'elle saurait plus tard ; en ce moment, elle ne songeait pas du tout à lui en demander compte, non plus qu'à lui reprocher son chagrin de deux années. Tout cela, d'ailleurs, était si oublié, tout cela venait d'être emporté si loin, en une seconde, par le tourbillon délicieux qui passait sur sa vie !... Toujours muette, elle lui disait son adoration rien qu'avec ses yeux, tout noyés, qui le regardaient à une extrême profondeur, tandis qu'une grosse pluie de larmes commençait à descendre le long de ses joues...

« Allons, Dieu vous bénisse ! mes enfants, dit la grand-mère Moan. Et moi, je lui dois un grand merci, car je suis contente d'être devenue si vieille, pour avoir vu ça avant de mourir. »

Ils restaient toujours là, l'un devant l'autre, se
tenant les mains et ne trouvant pas de mots pour se
parler ; ne connaissant aucune parole qui fût assez
douce, aucune phrase ayant le sens qu'il fallait,
aucune qui leur semblât digne de rompre leur délicieux silence.

« Embrassez-vous, au moins, mes enfants... Mais
c'est qu'ils ne se disent rien !... Ah ! mon Dieu, les
drôles de petits-enfants que j'ai là par exemple !...
Allons, Gaud, dis-lui donc quelque chose, ma fille. De
mon temps à moi, me semble qu'on s'embrassait
quand on s'était promis... »

Yann ôta son chapeau, comme saisi tout à coup
d'un grand respect inconnu, avant de se pencher pour
embrasser Gaud — et il lui sembla que c'était le premier vrai baiser qu'il eût jamais donné de sa vie.

Elle aussi l'embrassa, appuyant de tout son cœur ses
lèvres fraîches, inhabile aux raffinements des caresses,
sur cette joue de son fiancé que la mer avait dorée.
Dans les pierres du mur, le grillon leur chantait le
bonheur ; il tombait juste, cette fois, par hasard. Et le
pauvre petit portrait de Sylvestre avait un air de leur
sourire, du milieu de sa couronne noire. Et tout
paraissait s'être subitement vivifié et rajeuni dans la
chaumière morte. Le silence s'était rempli de musiques inouïes ; même le crépuscule pâle d'hiver, qui
entrait par la lucarne, était devenu comme une belle
lueur enchantée...

« Alors, c'est au retour d'Islande que vous allez faire
ça, mes bons enfants ? »

Gaud baissa la tête. L'Islande, la *Léopoldine* — c'est
vrai, elle avait déjà oublié ces épouvantes dressées sur
la route. — Au retour d'Islande !... comme ce serait
long ! Encore tout cet été d'attente craintive. Et Yann,
battant le sol du bout de son pied, à petits coups
rapides, devenu fort pressé lui aussi, comptait en lui-
même très vite, pour voir si, en se dépêchant bien, on
n'aurait pas le temps de se marier avant ce départ :
tant de jours pour réunir les papiers, tant de jours

pour publier les bans à l'église ; oui, cela ne mènerait jamais qu'au 20 ou 25 du mois pour les noces, et, si rien n'entravait, on aurait donc encore une grande semaine à rester ensemble après.

« Je m'en vais toujours commencer par prévenir notre père », dit-il, avec autant de hâte que si les minutes mêmes de leur vie étaient maintenant mesurées et précieuses...

# QUATRIÈME PARTIE

## I

Les amoureux aiment toujours beaucoup s'asseoir
ensemble sur les bancs, devant les portes, quand la
nuit tombe.

Yann et Gaud pratiquaient cela, eux aussi. Chaque
soir, c'était à la porte de la chaumière des Moan, sur
le vieux banc de granit, qu'ils se faisaient leur cour.

D'autres ont le printemps, l'ombre des arbres, les
soirées tièdes, les rosiers fleuris. Eux n'avaient rien
que des crépuscules de février descendant sur un pays
marin, tout d'ajoncs et de pierres. Aucune branche de
verdure au-dessus de leur tête, ni alentour, rien que le
ciel immense, où passaient lentement des brumes
errantes. Et pour fleurs, des algues brunes, que les
pêcheurs, en remontant de la grève avaient entraînées
dans le sentier avec leurs filets.

Les hivers ne sont pas rigoureux dans cette région
tiédie par des courants de la mer ; mais c'est égal, ces
crépuscules amenaient souvent des humidités glacées
et d'imperceptibles petites pluies qui se déposaient sur
leurs épaules.

Ils restaient tout de même, se trouvant très bien là.
Et ce banc, qui avait plus d'un siècle, ne s'étonnait pas
de leur amour, en ayant déjà vu bien d'autres ; il en

avait bien entendu, des douces paroles, sortir, toujours
les mêmes, de génération en génération, de la bouche
des jeunes, et il était habitué à voir les amoureux
revenir plus tard, changés en vieux branlants et en
vieilles tremblotantes, s'asseoir à la même place
— mais dans le jour alors, pour respirer encore un peu
d'air et se chauffer à leur dernier soleil.

De temps en temps, la grand-mère Yvonne mettait
la tête à la porte pour les regarder. Non pas qu'elle fût
inquiète de ce qu'ils faisaient ensemble, mais par
affection seulement, pour le plaisir de les voir, et aussi
pour essayer de les faire rentrer. Elle disait :

« Vous aurez froid, mes bons enfants, vous attra-
perez du mal. *Ma Doué, ma Doué*, rester dehors si
tard, je vous demande un peu, ça a-t-il du bon sens ? »

Froid !... Est-ce qu'ils avaient froid, eux ? Est-ce
qu'ils avaient seulement conscience de quelque chose
en dehors du bonheur d'être l'un près de l'autre ?

Les gens qui passaient, le soir, dans le chemin,
entendaient un léger murmure à deux voix, mêlé au
bruissement que la mer faisait en dessous, au pied des
falaises. C'était une musique très harmonieuse, la voix
fraîche de Gaud alternait avec celle de Yann qui avait
des sonorités douces et caressantes dans des notes
graves. On distinguait aussi leurs deux silhouettes
tranchant sur le granit du mur auquel ils étaient
adossés : d'abord le blanc de la coiffe de Gaud, puis
toute sa forme svelte en robe noire et, à côté d'elle, les
épaules carrées de son ami. Au-dessus d'eux, le dôme
bossu de leur toit de paille et, derrière tout cela, les
infinis crépusculaires, le vide incolore des eaux et du
ciel...

Ils finissaient tout de même par rentrer s'asseoir
dans la cheminée, et la vieille Yvonne, tout de suite
endormie, la tête tombée en avant, ne gênait pas
beaucoup ces deux jeunes qui s'aimaient. Ils recom-
mençaient à se parler à voix basse, ayant à se rattraper
de deux ans de silence ; ayant besoin de se presser
beaucoup pour se faire cette cour, puisqu'elle devait si
peu durer.

Il était convenu qu'ils habiteraient chez cette grand-mère Yvonne qui, par testament, leur léguait sa chaumière ; pour le moment, ils n'y faisaient aucune amélioration, faute de temps, et remettaient au retour d'Islande leur projet d'embellir un peu ce pauvre nid par trop désolé.

## II

... Un soir, il s'amusait à lui citer mille petites choses qu'elle avait faites ou qui lui étaient arrivées depuis leur première rencontre ; il lui disait même les robes qu'elle avait eues, les fêtes où elle était allée.

Elle l'écoutait avec une extrême surprise. Comment donc savait-il tout cela ? Qui se serait imaginé qu'il y avait fait attention et qu'il était capable de le retenir ?...

Lui, souriait, faisant le mystérieux, et racontait encore d'autres petits détails, même des choses qu'elle avait presque oubliées.

Maintenant, sans plus l'interrompre, elle le laissait dire, avec un ravissement inattendu qui la prenait tout entière ; elle commençait à deviner, à comprendre : c'est qu'il l'avait aimée, lui aussi, tout ce temps-là !... Elle avait été sa préoccupation constante ; il lui en faisait l'aveu naïf à présent !...

Et alors qu'est-ce qu'il avait eu, mon Dieu ; pourquoi l'avait-il tant repoussée, tant fait souffrir ?

Toujours ce mystère qu'il avait promis d'éclaircir pour elle, mais dont il reculait sans cesse l'explication, avec un air embarrassé et un commencement de sourire incompréhensible.

# III

Ils allèrent à Paimpol un beau jour, avec la grand-mère Yvonne, pour acheter la robe de noces.

Parmi les beaux costumes de demoiselle qui lui restaient d'autrefois, il y en avait qui auraient très bien pu être arrangés pour la circonstance, sans qu'on eût besoin de rien acheter. Mais Yann avait voulu lui faire ce cadeau, et elle ne s'en était pas trop défendue : avoir une robe donnée par lui, payée avec l'argent de son travail et de sa pêche, il lui semblait que cela la fît déjà un peu son épouse.

Ils la choisirent noire, Gaud n'ayant pas fini le deuil de son père. Mais Yann ne trouvait rien d'assez joli dans les étoffes qu'on déployait devant eux. Il était un peu hautain vis-à-vis des marchands et, lui qui autrefois ne serait entré pour rien au monde dans aucune des boutiques de Paimpol, ce jour-là s'occupait de tout, même de la forme qu'aurait cette robe ; il voulut qu'on y mît de grandes bandes de velours pour la rendre plus belle.

## IV

Un soir qu'ils étaient assis sur leur banc de pierre dans la solitude de leur falaise où la nuit tombait, leurs yeux s'arrêtèrent par hasard sur un buisson d'épines — le seul d'alentour — qui croissait entre les rochers au bord du chemin. Dans la demi-obscurité, il leur sembla distinguer sur ce buisson de légères petites houppes blanches :

« On dirait qu'il est fleuri », dit Yann.

Et ils s'approchèrent pour s'en assurer.

Il était tout en fleur. N'y voyant pas beaucoup, ils le touchèrent, vérifiant avec leurs doigts la présence de ces petites fleurettes qui étaient tout humides de brouillard. Et alors, il leur vint une première impression hâtive de printemps ; du même coup, ils s'aperçurent que les jours avaient allongé ; qu'il y avait quelque chose de plus tiède dans l'air, de plus lumineux dans la nuit.

Mais comme ce buisson était en avance ! Nulle part dans le pays, au bord d'aucun chemin, on n'en eût trouvé un pareil. Sans doute, il avait fleuri là exprès pour eux, pour leur fête d'amour...

« Oh ! nous allons en cueillir alors ! » dit Yann.

Et, presque à tâtons, il composa un bouquet entre ses mains rudes ; avec le grand couteau de pêcheur qu'il portait à sa ceinture, il enleva soigneusement les épines, puis le mit au corsage de Gaud :

« Là, comme une mariée », dit-il en se reculant,

comme pour voir, malgré la nuit, si cela lui seyait bien.

Au-dessous d'eux, la mer très calme déferlait faiblement sur les galets de la grève, avec un petit bruissement intermittent, régulier comme une respiration de sommeil ; elle semblait indifférente, ou même favorable, à cette cour qu'ils se faisaient là tout près d'elle.

Les jours leur paraissaient longs dans l'attente des soirées, et ensuite, quand ils se quittaient sur le coup de dix heures, il leur venait un petit découragement de vivre, parce que c'était déjà fini...

Il fallait se hâter, se hâter pour les papiers, pour tout, sous peine de n'être pas prêt et de laisser fuir le bonheur devant soi, jusqu'à l'automne, jusqu'à l'avenir incertain...

Leur cour, faite le soir dans ce lieu triste, au bruit continuel de la mer, et avec cette préoccupation un peu enfiévrée de la marche du temps, prenait de tout cela quelque chose de particulier et de presque sombre. Ils étaient des amoureux différents des autres, plus graves, plus inquiets dans leur amour.

Il ne disait toujours pas ce qu'il avait eu pendant deux ans contre elle et, quand il était reparti le soir, ce mystère tourmentait Gaud. Pourtant il l'aimait bien, elle en était sûre.

C'était vrai, qu'il l'avait de tout temps aimée, mais pas comme à présent : cela augmentait dans son cœur et dans sa tête comme une marée qui monte, qui monte, jusqu'à tout remplir. Il n'avait jamais connu cette manière d'aimer quelqu'un.

De temps en temps, sur le banc de pierre, il s'allongeait, presque étendu, jetait la tête sur les genoux de Gaud, par câlinerie d'enfant pour se faire caresser, et puis se redressait bien vite, par convenance. Il eût aimé se coucher par terre à ses pieds, et rester là, le front appuyé sur le bas de sa robe. En dehors de ce baiser de frère qu'il lui donnait en arrivant et en partant, il n'osait pas l'embrasser. Il adorait le je ne sais quoi invisible qui était en elle, qui était son âme, qui se manifestait à lui dans le son pur et tranquille de sa

voix, dans l'expression de son sourire, dans son beau
regard limpide...

Et dire qu'elle était en même temps une femme de
chair, plus belle et plus désirable qu'aucune autre ;
qu'elle lui appartiendrait bientôt d'une manière aussi
complète que ses maîtresses d'avant, sans cesser pour
cela d'être *elle-même !*... Cette idée le faisait frissonner
jusqu'aux moelles profondes ; il ne concevait pas bien
d'avance ce que serait une pareille ivresse, mais il n'y
arrêtait pas sa pensée, par respect, se demandant
presque s'il oserait commettre ce délicieux sacrilège...

# V

Un soir de pluie, ils étaient assis près l'un de l'autre dans la cheminée, et leur grand-mère Yvonne dormait en face d'eux. La flamme qui dansait dans les branchages du foyer faisait promener au plafond noir leurs ombres agrandies.

Ils se parlaient bien bas, comme font tous les amoureux. Mais il y avait, ce soir-là, de longs silences embarrassés, dans leur causerie. Lui surtout ne disait presque rien, et baissait la tête avec un demi-sourire, cherchant à se dérober aux regards de Gaud.

C'est qu'elle l'avait pressé de questions, toute la soirée, sur ce mystère qu'il n'y avait pas moyen de lui faire dire, et cette fois il se voyait pris ; elle était trop fine et trop décidée à savoir ; aucun faux-fuyant ne le tirerait plus de ce mauvais pas.

« De méchants propos qu'on avait tenus sur mon compte ? » demandait-elle.

Il essaya de répondre oui. De méchants propos, oh !... on en avait tenu beaucoup dans Paimpol, et dans Ploubazlanec...

Elle demanda quoi. Il se troubla et ne sut pas dire. Alors elle vit bien que ce devait être autre chose.

« C'était ma toilette, Yann ? »

Pour la toilette, il est sûr que cela y avait contribué : elle en faisait trop, pendant un temps, pour devenir la femme d'un simple pêcheur. Mais enfin il était forcé de convenir que ce n'était pas tout.

« Était-ce parce que, dans ce temps-là, nous passions pour riches ? Vous aviez peur d'être refusé ?

— Oh ! non, pas cela. »

Il fit cette réponse avec une si naïve sûreté de lui-même, que Gaud en fut amusée. Et puis il y eut de nouveau un silence pendant lequel on entendit dehors le bruit gémissant de la brise et de la mer.

Tandis qu'elle l'observait attentivement, une idée commençait à lui venir, et son expression changeait à mesure :

« Ce n'était rien de tout cela, Yann ; alors quoi ? » dit-elle en le regardant tout à coup dans le blanc des yeux, avec le sourire d'inquisition irrésistible de quelqu'un qui a deviné.

Et lui détourna la tête, en riant tout à fait.

Ainsi, c'était bien cela, elle avait trouvé : de raison, il ne pouvait pas lui en donner, parce qu'il n'y en avait pas, il n'y en avait eu jamais. Eh bien, oui, tout simplement il avait fait son têtu (comme Sylvestre disait jadis), et c'était tout. Mais voilà aussi, on l'avait tourmenté avec cette Gaud ! Tout le monde s'y était mis, ses parents, Sylvestre, ses camarades islandais, jusqu'à Gaud elle-même. Alors il avait commencé à dire non, obstinément non, tout en gardant au fond de son cœur l'idée qu'un jour, quand personne n'y penserait plus, cela finirait certainement par être oui.

Et c'était pour cet enfantillage de son Yann que Gaud avait langui, abandonnée pendant deux ans, et désiré mourir...

Après le premier mouvement, qui avait été de rire un peu, par confusion d'être découvert, Yann regarda Gaud avec de bons yeux graves qui, à leur tour, interrogeaient profondément : lui pardonnerait-elle au moins ? Il avait un si grand remords aujourd'hui de lui avoir fait tant de peine, lui pardonnerait-elle ?...

« C'est mon caractère qui est comme cela, Gaud, dit-il. Chez nous, avec mes parents, c'est la même chose. Des fois, quand je fais ma tête dure, je reste pendant des huit jours comme fâché avec eux, presque sans parler à personne. Et pourtant je les aime

bien, vous le savez, et je finis toujours par leur obéir
dans tout ce qu'ils veulent, comme si j'étais encore un
enfant de dix ans... Si vous croyez que ça faisait mon
affaire, à moi, de ne pas me marier ! Non, cela
n'aurait plus duré longtemps dans tous les cas, Gaud,
vous pouvez me croire. »

Oh ! si elle lui pardonnait ! Elle sentait tout doucement des larmes lui venir, et c'était le reste de son
chagrin d'autrefois qui finissait de s'en aller à cet aveu
de son Yann. D'ailleurs, sans toute sa souffrance
d'avant, l'heure présente n'eût pas été si délicieuse ; à
présent que c'était fini, elle aimait presque mieux
avoir connu ce temps d'épreuve.

Maintenant tout était éclairci entre eux deux ; d'une
manière inattendue, il est vrai, mais complète : il n'y
avait plus aucun voile entre leurs deux âmes. Il l'attira
contre lui dans ses bras et, leurs têtes s'étant rappro-
chées, ils restèrent là longtemps, leurs joues appuyées
l'une sur l'autre, n'ayant plus besoin de rien s'expliquer ni de rien se dire. Et en ce moment, leur étreinte
était si chaste que, la grand-mère Yvonne s'étant
réveillée, ils demeurèrent devant elle comme ils
étaient, sans aucun trouble.

...................................................................

# VI

C'était six jours avant le départ pour l'Islande. Leur cortège de noces s'en revenait de l'église de Ploubazlanec, pourchassé par un vent furieux, sous un ciel chargé et tout noir.

Au bras l'un de l'autre, ils étaient beaux tous deux, marchant comme des rois, en tête de leur longue suite, marchant comme dans un rêve. Calmes, recueillis, graves, ils avaient l'air de ne rien voir, de dominer la vie, d'être au-dessus de tout. Ils semblaient même être respectés par le vent, tandis que derrière eux, ce cortège était un joyeux désordre de couples rieurs, que de grandes rafales d'ouest tourmentaient. Beaucoup de jeunes, chez lesquels aussi la vie débordait ; d'autres, déjà grisonnants, mais qui souriaient encore en se rappelant le jour de leurs noces et leurs premières années. Grand-mère Yvonne était là et suivait aussi, très éventée, mais presque heureuse, au bras d'un vieil oncle de Yann qui lui disait des galanteries anciennes ; elle portait une belle coiffe neuve qu'on lui avait achetée pour la circonstance et toujours son petit châle, reteint une troisième fois — en noir, à cause de Sylvestre.

Et le vent secouait indistinctement tous ces invités ; on voyait des jupes relevées et des robes retournées ; des chapeaux et des coiffes qui s'envolaient.

À la porte de l'église, les mariés s'étaient acheté, suivant la coutume, des bouquets de fausses fleurs pour compléter leur toilette de fête. Yann avait attaché les siennes au hasard sur sa poitrine large, mais il était de ceux à qui tout va bien. Quant à Gaud, il y avait de la demoiselle encore dans la façon dont ces pauvres fleurs grossières étaient piquées en haut de son corsage — très ajusté, comme autrefois, sur sa forme exquise.

Le violonaire [1] qui menait tout ce monde, affolé par le vent, jouait à la diable ; ses airs arrivaient aux oreilles par bouffées, et, dans le bruit des bourrasques, semblaient une petite musique drôle, plus grêle que les cris d'une mouette.

Tout Ploubazlanec était sorti pour les voir. Ce mariage avait quelque chose qui passionnait les gens, et on était venu de loin à la ronde ; aux carrefours des sentiers, il y avait partout des groupes qui stationnaient pour les attendre. Presque tous les « Islandais » de Paimpol, les amis de Yann, étaient là postés. Ils saluaient les mariés au passage ; Gaud répondait en s'inclinant légèrement comme une demoiselle, avec sa grâce sérieuse, et, tout le long de sa route, elle était admirée.

Et les hameaux d'alentour, les plus perdus, les plus noirs, même ceux des bois, s'étaient vidés de leurs mendiants, de leurs estropiés, de leurs fous, de leurs idiots à béquilles. Cette gent était échelonnée sur le parcours, avec des musiques, des accordéons, des vielles ; ils tendaient leurs mains, leurs sébiles, leurs chapeaux, pour recevoir des aumônes que Yann leur lançait avec son grand air noble, et Gaud, avec son joli sourire de reine. Il y avait de ces mendiants qui étaient très vieux, qui avaient des cheveux gris sur des têtes vides n'ayant jamais rien contenu ; tapis dans les creux des chemins, ils étaient de la même couleur que la terre d'où ils semblaient n'être qu'incomplètement sortis, et où ils allaient rentrer bientôt sans avoir eu de pensées ; leurs yeux égarés inquiétaient comme le mystère de leurs existences avortées et inutiles. Ils

1. « Violonaire » (terme régional ?) = violoniste.

regardaient passer, sans comprendre, cette fête de la vie pleine et superbe...

On continua de marcher au-delà du hameau de Pors-Even et de la maison des Gaos. C'était pour se rendre, suivant l'usage traditionnel des mariés du pays de Ploubazlanec, à la chapelle de la Trinité, qui est comme au bout du monde breton.

Au pied de la dernière et extrême falaise, elle pose sur un seuil de roches basses, tout près des eaux, et semble déjà appartenir à la mer. Pour y descendre, on prend un sentier de chèvre parmi des blocs de granit. Et le cortège de noces se répandit sur la pente de ce cap isolé, au milieu des pierres, les paroles joyeuses ou galantes se perdant tout à fait dans le bruit du vent et des lames.

Impossible d'atteindre cette chapelle ; par ce gros temps, le passage n'était pas sûr, la mer venait trop près pour frapper ses grands coups. On voyait bondir très haut ses gerbes blanches qui, en retombant, se déployaient pour tout inonder.

Yann, qui s'était le plus avancé, avec Gaud appuyée à son bras, recula le premier devant les embruns. En arrière, son cortège restait échelonné sur les roches, en amphithéâtre, et lui, semblait être venu là pour présenter sa femme à la mer ; mais celle-ci faisait mauvais visage à la mariée nouvelle.

En se retournant, il aperçut le violonaire, perché sur un rocher gris et cherchant à rattraper, entre deux rafales, son air de contredanse.

« Ramasse ta musique, mon ami, lui dit-il ; la mer nous en joue d'une autre qui marche mieux que la tienne... »

En même temps commença une grande pluie fouettante qui menaçait depuis le matin. Alors ce fut une débandade folle avec des cris et des rires pour grimper sur la haute falaise et se sauver chez les Gaos...

# VII

Le dîner de noces se fit chez les parents d'Yann, à cause de ce logis de Gaud qui était bien pauvre.

Ce fut en haut, dans la grande chambre neuve, une tablée de vingt-cinq personnes autour des mariés ; des sœurs et des frères ; le cousin Gaos le pilote ; Guermeur, Keraez, Yvon Duff, tous ceux de l'ancienne *Marie,* qui étaient de la *Léopoldine* à présent ; quatre filles d'honneur très jolies, leurs nattes de cheveux disposées en rond au-dessus des oreilles, comme autrefois les impératrices de Byzance, et leur coiffe blanche à la nouvelle mode des jeunes, en forme de conque marine ; quatre garçons d'honneur, tous Islandais, bien plantés, avec de beaux yeux fiers.

Et en bas aussi, bien entendu, on mangeait et on cuisinait ; toute la queue du cortège s'y était entassée en désordre, et des femmes de peine, louées à Paimpol, perdaient la tête devant la grande cheminée encombrée de poêles et de marmites.

Les parents d'Yann auraient souhaité pour leur fils une femme plus riche, c'est bien sûr ; mais Gaud était connue à présent pour une fille sage et courageuse ; et puis, à défaut de sa fortune perdue, elle était la plus belle du pays, et cela les flattait de voir les deux époux si assortis.

Le vieux père, en gaieté après la soupe, disait de ce mariage :

« Ça va faire encore des Gaos, on n'en manquait pourtant pas dans Ploubazlanec ! »

Et, en comptant sur ses doigts, il expliquait à un oncle de la mariée comment il y en avait tant de ce nom-là : son père, qui était le plus jeune de neuf frères, avait eu douze enfants, tous mariés avec des cousines, et ça en avait fait, tout ça, des Gaos, malgré les disparus d'Islande !...

« Pour moi, dit-il, j'ai épousé aussi une Gaos ma parente, et nous en avons fait encore quatorze à nous deux. »

Et à l'idée de cette peuplade, il se réjouissait, en secouant sa tête blanche.

Dame ! il avait eu de la peine pour les élever, ses quatorze petits Gaos ; mais à présent ils se débrouillaient, et puis ces dix mille francs de l'épave les avaient mis vraiment bien à leur aise.

En gaieté aussi, le voisin Guermeur racontait ses tours joués *au service* * des histoires de Chinois, d'Antilles, de Brésil, faisant écarquiller les yeux aux jeunes qui allaient y aller.

Un de ses meilleurs souvenirs, c'était une fois, à bord de l'*Iphigénie*, on faisait le plein des soutes à vin, le soir, à la brune ; et la manche en cuir, par où ça passait pour descendre, s'était crevée. Alors, au lieu d'avertir, on s'était mis à boire à même jusqu'à plus soif ; ça avait duré deux heures, cette fête ; à la fin ça coulait plein la batterie ; tout le monde était soûl !

Et ces vieux marins, assis à table, riaient de leur rire bon enfant avec une pointe de malice.

« On crie contre le *service*, disaient-ils ; eh bien, il n'y a encore que là, pour faire des tours pareils ! »

Dehors, le temps ne s'embellissait pas, au contraire ; le vent, la pluie, faisaient rage dans une épaisse nuit. Malgré les précautions prises, quelques-uns s'inquiétaient de leur bateau, ou de leur barque amarrée dans le port, et parlaient de se lever pour aller y voir.

---

* Les hommes de la côte appellent ainsi leur temps de matelot dans la marine de guerre.

Cependant, un autre bruit, beaucoup plus gai à entendre, arrivait d'en bas où les plus jeunes de la noce soupaient les uns sur les autres ; c'étaient les cris de joie, les éclats de rire des petits-cousins et des petites-cousines, qui commençaient à se sentir très émoustillés par le cidre.

On avait servi des viandes bouillies, des viandes rôties, des poulets, plusieurs espèces de poissons, des omelettes et des crêpes.

On avait causé pêche et contrebande, discuté toute sorte de façons pour attraper les messieurs douaniers, qui sont, comme on sait, les ennemis des hommes de mer.

En haut, à la table d'honneur, on se lançait même à parler d'aventures drôles.

Ceci se croisait, en breton, entre ces hommes qui, tous, à leur époque, avaient roulé le monde.

« À Hong-Kong, les *maisons*, tu sais bien, les *maisons* qui sont là, en montant dans les petites rues...

— Ah ! oui, répondait du bout de la table un autre qui les avait fréquentées — oui, en tirant sur la droite quand on arrive ?

— C'est ça ; enfin chez les dames chinoises quoi !... Donc, nous avions *consommé* là-dedans, à trois que nous étions... Des vilaines femmes, *ma Doué*, mais vilaines !...

— Oh ! pour vilaines, je te crois, dit négligemment le grand Yann qui, lui aussi, dans un moment d'erreur, après une longue traversée, les avait connues, ces Chinoises.

— Après, pour payer, qui est-ce qui en avait des piastres [1] !... Cherche, cherche dans les poches — ni moi, ni toi, ni lui — plus le sou personnel ! — Nous faisons des excuses, en promettant de revenir. (Ici, il contournait sa rude figure bronzée et minaudait comme une Chinoise très surprise.) Mais la vieille, pas confiante, commence à miauler, à faire le diable, et finit par nous griffer avec ses pattes jaunes. (Main-

1. La « piastre » est l'unité monétaire dans de nombreux pays.

tenant, il singeait ces voix pointues de là-bas et gri-
maçait comme cette vieille en colère, tout en roulant
ses yeux qu'il avait retroussés par le coin avec ses
doigts.) Et voilà les deux Chinois, les deux... enfin les
deux patrons de la boîte, tu me comprends — qui
ferment la grille à clef, nous dedans ! Comme de
juste, on te les empoigne par la queue pour les
mettre en danse la tête contre les murs. — Mais
crac ! il en sort d'autres par tous les trous, au moins
une douzaine qui se relèvent les manches pour nous
tomber dessus — avec des airs de se méfier tout de
même. — Moi, j'avais justement mon paquet de
cannes à sucre, achetées pour mes provisions de
route ; et c'est solide. Ça ne casse pas, quand c'est
vert ; alors tu penses, pour cogner sur les magots, si
ça nous a été utile... »

Non, décidément il ventait trop fort ; en ce moment
les vitres tremblaient sous une rafale terrible, le
conteur, ayant brusqué la fin de son histoire, se leva
pour aller voir sa barque.

Un autre disait :

« Quand j'étais quartier-maître canonnier, en fonc-
tions de caporal d'armes sur la *Zénobie*, à Aden, un
jour, je vois les marchands de plumes d'autruche qui
montent à bord (imitant l'accent de là-bas) : "Bonjour, caporal d'armes ; nous pas voleurs, nous bons
marchands." D'un *paravirer*[1] je te les fais redes-
cendre quatre à quatre : "Toi, bon marchand, que
je dis, apporte un peu d'abord un bouquet de plumes
pour me faire cadeau ; nous verrons après si on te
laissera monter avec ta pacotille." Et je m'en serais
fait pas mal d'argent au retour, si je n'avais pas été
si bête ! (Douloureusement) : mais, tu sais, dans ce
temps j'étais jeune homme... Alors, à Toulon, une
connaissance à moi qui travaillait dans les modes... »

Allons, bon, voici qu'un des petits frères d'Yann, un
futur Islandais, avec une bonne figure rose et des yeux
vifs, tout d'un coup se trouve malade pour avoir bu

----

1. « Paravirer » désigne une gifle, dans les Antilles françaises.

trop de cidre. Bien vite il faut l'emporter, le petit Laumec, ce qui coupe court au récit des perfidies de cette modiste pour avoir ces plumes...

Le vent dans la cheminée hurlait comme un damné qui souffre ; de temps en temps, avec une force à faire peur, il secouait toute la maison sur ces fondements de pierre.

« On dirait que ça se fâche, parce que nous sommes en train de nous amuser, dit le cousin pilote.

— Non, c'est la mer qui n'est pas contente, répondit Yann, en souriant à Gaud — parce que je lui avais promis mariage. »

Cependant, une sorte de langueur étrange commençait à les prendre tous deux ; ils se parlaient plus bas, la main dans la main, isolés au milieu de la gaieté des autres. Lui, Yann, connaissant l'effet du vin sur les sens, ne buvait pas du tout ce soir-là. Et il rougissait à présent, ce grand garçon, quand quelqu'un de ses camarades islandais disait une plaisanterie de matelot sur la nuit qui allait suivre.

Par instants aussi il était triste, en pensant tout à coup à Sylvestre... D'ailleurs, il était convenu qu'on ne devait pas danser à cause du père de Gaud et à cause de lui.

On était au dessert ; bientôt allaient commencer les chansons. Mais avant, il y avait les prières à dire, pour les défunts de la famille ; dans les fêtes de mariage, on ne manque jamais à ce devoir de religion, et quand on vit le père Gaos se lever en découvrant sa tête blanche, il se fit du silence partout :

« Ceci, dit-il, est pour Guillaume Gaos, mon père. »

Et, en se signant, il commença pour ce mort la prière latine :

« *Pater noster, qui es in cœlis, sanctificetur nomen tuum...* »

Un silence d'église s'était maintenant propagé jusqu'en bas, aux tablées joyeuses des petits. Tous ceux qui étaient dans cette maison répétaient en esprit les mêmes mots éternels.

« Ceci est pour Yves et Jean Gaos, mes frères,

perdus dans la mer d'Islande... Ceci est pour Pierre Gaos, mon fils, naufragé à bord de la *Zélie*... »

Puis, quand tous ces Gaos eurent chacun leur prière, il se tourna vers la grand-mère Yvonne :

« Ceci, dit-il, est pour Sylvestre Moan. »

Et il en récita une autre encore. Alors Yann pleura.

« ...*Sed libera nos a malo. Amen.* »

Les chansons commencèrent après. Des chansons apprises au *service*, sur le gaillard d'avant, où il y a, comme on sait, beaucoup de beaux chanteurs :

Un noble corps, pas moins, que celui des zouaves,
Mais chez nous les braves
Narguent le destin,
Hurrah ! hurrah ! vive le vrai marin !

Les couplets étaient dits par un des garçons d'honneur, d'une manière tout à fait langoureuse qui allait à l'âme ; et puis le chœur était repris par d'autres belles voix profondes.

Mais les nouveaux époux n'entendaient plus que du fond d'une sorte de lointain ; quand ils se regardaient, leurs yeux brillaient d'un éclat trouble, comme des lampes voilées ; ils se parlaient de plus en plus bas, la main toujours dans la main, et Gaud baissait souvent la tête, prise peu à peu, devant son maître, d'une crainte plus grande et plus délicieuse.

Maintenant le cousin pilote faisait le tour de la table pour servir d'un certain vin à lui ; il l'avait apporté avec beaucoup de précautions, caressant la bouteille couchée, qu'il ne fallait pas remuer, disait-il.

Il en raconta l'histoire : un jour de pêche, une barrique flottait toute seule au large ; pas moyen de la ramener, elle était trop grosse ; alors ils l'avaient crevée en mer, remplissant tout ce qu'il y avait à bord de pots et de moques [1]. Impossible de tout emporter. On avait fait des signes aux autres pilotes, aux autres

---

1. Une « moque » désigne, sur les côtes de la Manche, une tasse, un gobelet.

pêcheurs ; toutes les voiles en vue s'étaient rassemblées autour de la trouvaille.

« Et j'en connais plus d'un qui était soûl, en rentrant le soir à Pors-Even. »

Toujours le vent continuait son bruit affreux. En bas, les enfants dansaient des rondes ; il y en avait bien quelques-uns de couchés — des tout petits Gaos, ceux-ci — mais les autres faisaient le diable, menés par le petit Fantec * et le Petit Laumec **, voulant absolument aller sauter dehors, et, à toute minute, ouvrant la porte à des rafales furieuses qui soufflaient les chandelles.

Lui, le cousin pilote, finissait l'histoire de son vin ; pour son compte, il en avait eu quarante bouteilles ; il priait bien qu'on n'en parlât pas, à cause de M. le commissaire de l'inscription maritime, qui aurait pu lui chercher une affaire pour cette épave non déclarée.

« Mais voilà, disait-il, il aurait fallu les soigner, ces bouteilles ; si on avait pu les tirer au clair [1], ça serait devenu tout à fait du vin supérieur ; car, certes, il y avait dedans beaucoup plus de jus de raisin que dans toutes les caves des débitants de Paimpol. »

Qui sait où il avait poussé, ce vin de naufrage ? Il était fort, haut en couleur, très mêlé d'eau de mer, et gardait le goût âcre du sel. Il fut néanmoins trouvé très bon, et plusieurs bouteilles se vidèrent.

Les têtes tournaient un peu ; le son des voix devenait plus confus et les garçons embrassaient les filles.

Les chansons continuaient gaiement ; cependant on avait guère l'esprit tranquille à ce souper, et les hommes échangeaient des signes d'inquiétude à cause du mauvais temps qui augmentait toujours.

Dehors le bruit sinistre allait son train, pis que jamais. Cela devenait comme un seul cri, continu, renflé, menaçant, poussé à la fois, à plein gosier, à cou tendu, par des milliers de bêtes enragées.

On croyait aussi entendre de gros canons de marine

---

* En français : François.
** En français : Guillaume.
1. « Tirer au clair » signifie ici filtrer.

tirer dans le lointain leurs formidables coups sourds :
et cela, c'était la mer qui battait de partout le pays de
Ploubazlanec — non, elle ne paraissait pas contente,
en effet, et Gaud se sentait le cœur serré par cette
musique d'épouvante, que personne n'avait com-
mandée pour leur fête de noces.

Sur les minuit, pendant une accalmie, Yann, qui
s'était levé doucement, fit signe à sa femme de venir
lui parler.

C'était pour s'en aller chez eux... Elle rougit, prise
d'une pudeur, confuse de s'être levée... Puis elle dit
que ce serait impoli, s'en aller tout de suite, laisser les
autres.

« Non, répondit Yann, c'est le père qui l'a permis ;
nous pouvons. »

Et il l'entraîna.

Ils se sauvèrent furtivement.

Dehors ils se trouvèrent dans le froid, dans le vent
sinistre, dans la nuit profonde et tourmentée. Ils se
mirent à courir, en se tenant par la main. Du haut de
ce chemin de falaise, on devinait sans les voir les lointains de la mer furieuse, d'où montait tout ce bruit. Ils
couraient tous deux, cinglés en plein visage, le corps
penché en avant, contre les rafales, obligés quelquefois
de se retourner, la main devant la bouche, pour
reprendre leur respiration que ce vent avait coupée.

D'abord, il l'enlevait presque par la taille, pour
l'empêcher de traîner sa robe, de mettre ses beaux
souliers dans toute cette eau qui ruisselait par terre ; et
puis il la prit à son cou tout à fait, et continua de
courir encore plus vite... Non, il ne croyait pas tant
l'aimer ! Et dire qu'elle avait vingt-trois ans ; lui
bientôt vingt-huit ; que, depuis deux ans au moins, ils
auraient pu être mariés, et heureux comme ce soir.

Enfin ils arrivèrent chez eux, dans leur pauvre petit
logis au sol humide, sous leur toit de paille et de
mousse ; et ils allumèrent une chandelle que le vent
leur souffla deux fois.

La vieille grand-mère Moan, qu'on avait reconduite
chez elle avant de commencer les chansons, était là,

couchée depuis deux heures dans son lit en armoire dont elle avait refermé les battants ; ils s'approchèrent avec respect et la regardèrent par les découpures de sa porte afin de lui dire bonsoir si par hasard elle ne dormait pas encore. Mais ils virent que sa figure vénérable demeurait immobile et ses yeux fermés ; elle était endormie ou feignait de l'être pour ne pas les troubler.

Alors ils se sentirent seuls l'un à l'autre.

Ils tremblaient tous les deux, en se tenant les mains. Lui se pencha d'abord vers elle pour embrasser sa bouche : mais Gaud détourna les lèvres par ignorance de ce baiser-là, et, aussi chastement que le soir de leurs fiançailles, les appuya au milieu de la joue d'Yann, qui était froidie par le vent, tout à fait glacée.

Bien pauvre, bien basse, leur chaumière, et il y faisait très froid. Ah ! si Gaud était restée riche comme anciennement, quelle joie elle aurait eue à arranger une jolie chambre, non pas comme celle-ci sur la terre nue... Elle n'était guère habituée encore à ces murs de granit brut, à cet air rude qu'avaient les choses ; mais son Yann était là avec elle ; alors, par sa présence, tout était changé, transfiguré, et elle ne voyait plus que lui...

Maintenant leurs lèvres s'étaient rencontrées, et elle ne détournait plus les siennes. Toujours debout, les bras noués pour se serrer l'un à l'autre, ils restaient là muets, dans l'extase d'un baiser qui ne finissait plus. Ils mêlaient leurs respirations un peu haletantes, et ils tremblaient tous deux plus fort, comme dans une ardente fièvre. Ils semblaient être sans force pour rompre leur étreinte, et ne connaître rien de plus, ne désirer rien au-delà de ce long baiser.

Elle se dégagea enfin, troublée tout à coup :

« Non, Yann !... grand-mère Yvonne pourrait nous voir ! »

Mais lui, avec un sourire, chercha les lèvres de sa femme encore et les reprit bien vite entre les siennes, comme un altéré à qui on a enlevé sa coupe d'eau fraîche.

Le mouvement qu'ils avaient fait venait de rompre le charme de l'hésitation délicieuse. Yann, qui, aux premiers instants, se serait mis à genoux comme devant la Vierge sainte, se sentit redevenir sauvage ; il regarda furtivement du côté des vieux lits en armoire, ennuyé d'être aussi près de cette grand-mère, cherchant un moyen sûr pour ne plus être vu ; toujours sans quitter les lèvres exquises, il allongea le bras derrière lui, et, du revers de la main, éteignit la lumière comme avait fait le vent.

Alors brusquement, il l'enleva dans ses bras ; avec sa manière de la tenir, la bouche toujours appuyée sur la sienne, il était comme un fauve qui aurait planté ses dents dans une proie. Elle abandonnait son corps, à cet enlèvement qui était impérieux et sans résistance possible, tout en restant doux comme une longue caresse enveloppante : il l'emportait dans l'obscurité vers le beau lit blanc *à la mode des villes* qui devait être leur lit nuptial...

Autour d'eux, pour leur premier coucher de mariage, le même invisible orchestre jouait toujours.

Houhou !... houhou !... Le vent tantôt donnait en plein son bruit caverneux avec un tremblement de rage ; tantôt répétait sa menace plus bas à l'oreille, comme par un raffinement de malice, avec des petits sons filés, en prenant la voix flûtée d'une chouette.

Et la grande tombe des marins était tout près, mouvante, dévorante, battant les falaises de ses mêmes coups sourds. Une nuit ou l'autre, il faudrait être pris là-dedans, s'y débattre, au milieu de la frénésie des choses noires et glacées — ils le savaient...

Qu'importe ! pour le moment, ils étaient à terre, à l'abri de toute cette fureur inutile et retournée contre elle-même. Alors, dans le logis pauvre et sombre où passait le vent, ils se donnèrent l'un à l'autre, sans souci de rien ni de la mort, enivrés, leurrés délicieusement par l'éternelle magie de l'amour...

# VIII

Ils furent mari et femme pendant six jours.

En ce moment de départ, les choses d'Islande occupaient tout le monde. Des femmes de peine empilaient le sel pour la saumure dans les soutes des navires ; les hommes disposaient les gréements et, chez Yann, la mère, les sœurs travaillaient du matin au soir à préparer les *suroîts* [1], les *cirages* [2], tout le trousseau de campagne. Le temps était sombre, et la mer, qui sentait l'équinoxe venir, était remuante et troublée.

Gaud subissait ces préparatifs inexorables avec angoisse, comptant les heures rapides des journées, attendant le soir où, le travail fini, elle avait son Yann pour elle seule.

Est-ce que, les autres années, il partirait aussi ? Elle espérait bien qu'elle saurait le retenir, mais elle n'osait pas, dès maintenant, lui en parler... Pourtant il l'aimait bien, lui aussi ; avec ses maîtresses d'avant, jamais il n'avait connu rien de pareil ; non, ceci était différent ; c'était une tendresse si confiante et si fraîche, que les mêmes baisers, les mêmes étreintes, avec elle étaient *autre chose* ; et, chaque nuit, leurs deux ivresses d'amour allaient s'augmentant l'une par l'autre, sans jamais s'assouvir quand le matin venait.

1. Le « suroît » est un chapeau de toile imperméable que portent les marins par mauvais temps.
2. Les « cirages » désignent des vêtements imperméables en tissu ciré.

Ce qui la charmait comme une surprise, c'était de le trouver si doux, si enfant, ce Yann qu'elle avait vu quelquefois à Paimpol faire son grand dédaigneux avec des filles amoureuses. Avec elle, au contraire, il avait toujours cette même courtoisie qui semblait toute naturelle chez lui, et elle adorait ce bon sourire qu'il lui faisait, dès que leurs yeux se rencontraient. C'est que, chez ces simples, il y a le sentiment, le respect inné de la majesté de *l'épouse* ; un abîme la sépare de l'amante, chose de plaisir, à qui, dans un sourire de dédain, on a l'air ensuite de rejeter les baisers de la nuit. Gaud était l'épouse, elle, et, dans le jour, il ne se souvenait plus de leurs caresses, qui semblaient ne pas compter tant ils étaient une même chair tous deux et pour toute la vie.

... Inquiète, elle l'était beaucoup dans son bonheur, qui lui semblait quelque chose de trop inespéré, d'instable comme les rêves...

D'abord, est-ce que ce serait bien durable, chez Yann, cet amour ?... Parfois elle se souvenait de ses maîtresses, de ses emportements, de ses aventures, et alors elle avait peur : lui garderait-il toujours cette tendresse infinie, avec ce respect si doux ?...

Vraiment, six jours de mariage, pour un amour comme le leur, ce n'était rien ; rien qu'un petit acompte enfiévré pris sur le temps de l'existence — qui pouvait encore être si long devant eux ! À peine avaient-ils pu se parler, se voir, comprendre qu'ils s'appartenaient. — Et tous leurs projets de vie ensemble, de joie tranquille, d'arrangement de ménage, avaient été forcément remis au retour...

Oh ! les autres années, à tout prix l'empêcher de repartir pour cette Islande !... Mais comment s'y prendre ? Et que feraient-ils alors pour vivre, étant si peu riches l'un et l'autre ?... Et puis il aimait tant son métier de mer...

Elle essaierait malgré tout, les autres fois, de le retenir ; elle y mettrait toute sa volonté, toute son intelligence et tout son cœur. Être femme d'Islandais, voir approcher tous les printemps avec tristesse, passer tous les étés dans l'anxiété douloureuse ; non, à présent qu'elle l'adorait au-delà de ce qu'elle eût imaginé jamais, elle se sentait prise d'une épouvante trop grande en songeant à ces années à venir...

Ils eurent une journée de printemps, une seule. C'était la veille de l'appareillage, on avait fini de mettre le gréement [1] en ordre à bord, et Yann resta tout le jour avec elle. Ils se promenèrent bras dessus bras dessous dans les chemins, comme font les amoureux, très près l'un de l'autre et se disant mille choses. Les bonnes gens en souriant les regardaient passer :

« C'est Gaud, avec le grand Yann de Pors-Even... Des mariés d'hier ! »

Un vrai printemps, ce dernier jour, c'était particulier et étrange de voir tout à coup ce grand calme, et plus un seul nuage dans ce ciel habituellement tourmenté. Le vent ne soufflait de nulle part. La mer s'était faite très douce ; elle était partout du même bleu pâle, et restait tranquille. Le soleil brillait d'un grand éclat blanc, et le rude pays breton s'imprégnait de cette lumière comme d'une chose fine et rare ; il semblait s'égayer et revivre jusque dans ses plus profonds lointains. L'air avait pris une tiédeur délicieuse sentant l'été, et on eût dit qu'il s'était immobilisé à jamais, qu'il ne pouvait plus y avoir de jours sombres ni de tempêtes. Les caps, les baies, sur lesquels ne passaient plus les ombres changeantes des nuages, dessinaient au ciel leurs grandes lignes immuables ; ils paraissaient se reposer, eux aussi, dans des tranquillités ne devant pas finir... Tout cela comme pour rendre plus douce et éternelle leur fête d'amour — et on voyait déjà des fleurs hâtives, des primevères le long des fossés, ou des violettes, frêles et sans parfum.

Quand Gaud demandait :

« Combien de temps m'aimeras-tu, Yann ? »

Lui, répondait, étonné, en la regardant bien en face avec ses beaux yeux francs :

1. Le « gréement » consiste à garnir un mât de voiles et de cordages.

« Mais, Gaud, toujours... »

Et ce mot, dit très simplement par ses lèvres un peu
sauvages, semblait avoir là son vrai sens d'éternité.

Elle s'appuyait à son bras. Dans l'enchantement du
rêve accompli, elle se serrait contre lui, inquiète toujours — le sentant fugitif comme un grand oiseau de
mer... Demain, l'envolée au large !... Et cette première
fois il était trop tard, elle ne pouvait rien pour l'empêcher de partir...

De ces chemins de falaise où ils se promenaient, on
dominait tout ce pays marin, qui paraissait être sans
arbres, tapissé d'ajoncs ras et semé de pierres. Les maisons des pêcheurs étaient posées çà et là sur les rochers
avec leurs vieux murs de granit, leurs toits de chaume,
très hauts et bossus, verdis par la pousse nouvelle des
mousses ; et, dans l'extrême éloignement, la mer, comme
une grande vision diaphane, décrivait son cercle immense
et éternel qui avait l'air de tout envelopper.

Elle s'amusait à lui raconter les choses étonnantes et
merveilleuses de ce Paris, où elle avait habité ; mais
lui, très dédaigneux, ne s'y intéressait pas.

« Si loin de la côte, disait-il, en tant de terres, tant
de terres... ça doit être malsain. Tant de maisons, tant
de monde... Il doit y avoir des mauvaises maladies,
dans ces villes ; non, je ne voudrais pas vivre là-dedans, moi, bien sûr. »

Et elle souriait, s'étonnant de voir combien ce grand
garçon était un enfant naïf.

Quelquefois ils s'enfonçaient dans ces replis du sol
où poussent de vrais arbres qui ont l'air de s'y tenir
blottis contre le vent du large. Là, il n'y avait plus de
vue ; par terre, des feuilles mortes amoncelées et de
l'humidité froide, le chemin creux, bordé d'ajoncs
verts, devenait sombre sous les branchages, puis se
resserrait entre les murs de quelque hameau noir et
solitaire, croulant de vieillesse, qui dormait dans ce
bas-fond ; et toujours quelque crucifix se dressait bien
haut devant eux, parmi les branches mortes, avec son
grand Christ de bois rongé comme un cadavre, grima-
çant sa douleur sans fin.

Ensuite le sentier remontait, et, de nouveau, ils dominaient les horizons immenses, ils retrouvaient l'air vivifiant des hauteurs et de la mer.

Lui, à son tour, racontait l'Islande, les étés pâles et sans nuit, les soleils obliques qui ne se couchent jamais. Gaud ne comprenait pas bien et se faisait expliquer.

« Le soleil fait tout le tour, tout le tour, disait-il en promenant son bras étendu sur le cercle lointain des eaux bleues. Il reste toujours bien bas, parce que, vois-tu, il n'a pas du tout de force pour monter ; à minuit, il traîne un peu son bord dans la mer, mais tout de suite il se relève et il continue de faire sa promenade ronde. Des fois, la lune aussi paraît à l'autre bout du ciel ; alors ils travaillent tous deux, chacun de son bord, et on ne les connaît pas trop l'un de l'autre, car ils se ressemblent beaucoup dans ce pays. »

Voir le soleil à minuit !... Comme ça devait être loin, cette île d'Islande. Et les fiords ? Gaud avait lu ce mot inscrit plusieurs fois parmi les noms des morts dans la chapelle des naufragés ; il lui faisait l'effet de désigner une chose sinistre.

« Les fiords, répondait Yann — des grandes baies, comme ici celle de Paimpol par exemple ; seulement il y a autour des montagnes si hautes, si hautes, qu'on ne voit jamais où elles finissent, à cause des nuages qui sont dessus. Un triste pays, va, Gaud, je t'assure. Des pierres, des pierres, rien que des pierres, et les gens de l'île ne connaissent point ce que c'est que les arbres. À la mi-août, quand notre pêche est finie, il est grand temps de repartir, car alors les nuits commencent, et elles allongent très vite ; le soleil tombe au-dessous de la terre sans pouvoir se relever, et il fait nuit chez eux, là-bas, pendant tout l'hiver.

« Et puis, disait-il, il y a aussi un petit cimetière sur la côte, dans un fiord, tout comme chez nous, pour ceux du pays de Paimpol qui sont morts pendant les saisons de pêche, ou qui sont disparus en mer ; c'est en terre bénie aussi bien qu'à Pors-Even, et les défunts ont des croix en bois toutes pareilles à celles d'ici, avec leurs noms écrits dessus. Les deux Goaz-diou, de Ploubazlanec, sont là, et aussi Guillaume Moan, le grand-père de Sylvestre. »

Et elle croyait le voir, ce petit cimetière au pied des caps désolés, sous la pâle lumière rose de ces jours ne finissant pas. Ensuite, elle songeait à ces mêmes morts sous la glace et sous le suaire noir de ces nuits longues comme les hivers.

« Tout le temps, tout le temps pêcher ? demandait-elle, sans se reposer jamais ?

— Tout le temps. Et puis il y a la manœuvre à faire, car la mer n'est pas toujours belle par là. Dame ! on est fatigué le soir, ça donne appétit pour souper et, des jours, l'on dévore.

— Et on ne s'ennuie jamais ?

— Jamais ! dit-il, avec un air de conviction qui lui fit mal ; à bord, au large, moi, le temps ne me dure pas, jamais ! »

Elle baissa la tête, se sentant plus triste, plus vaincue par la mer.

# CINQUIÈME PARTIE

## I

... À la fin de cette journée de printemps qu'ils avaient eue, la nuit tombante ramena le sentiment de l'hiver et ils rentrèrent dîner devant leur feu, qui était une flambée de branchages.

Leur dernier repas ensemble !... Mais ils avaient encore toute une nuit à dormir entre les bras l'un de l'autre, et cette attente les empêchait d'être déjà tristes.

Après dîner, ils retrouvèrent encore un peu l'impression douce du printemps, quand ils furent dehors sur la route de Pors-Even : l'air était tranquille, presque tiède, et un reste de crépuscule s'attardait à traîner sur la campagne.

Ils allèrent faire visite à leurs parents, pour les adieux de Yann, et revinrent de bonne heure se coucher, ayant le projet de se lever tous deux au petit jour.

## II

Le quai de Paimpol, le lendemain matin, était plein
de monde. Les départs d'Islandais avaient commencé
depuis l'avant-veille et, à chaque marée, un groupe
nouveau prenait le large. Ce matin-là, quinze bateaux
devaient sortir avec la *Léopoldine*, et les femmes de ces
marins, ou les mères, étaient toutes présentes pour
l'appareillage. — Gaud s'étonnait de se trouver mêlée
à elles, devenue une femme d'Islandais elle aussi, et
amenée là pour la même cause fatale. Sa destinée
venait de se précipiter tellement en quelques jours,
qu'elle avait à peine eu le temps de se bien représenter
la réalité des choses ; en glissant sur une pente irrésis-
tiblement rapide, elle était arrivée à ce dénouement-là,
qui était inexorable, et qu'il fallait subir à présent
— comme faisaient les autres, les habituées.

Elle n'avait jamais assisté de près à ces scènes, à ces
adieux. Tout cela était nouveau et inconnu. Parmi ces
femmes, elle n'avait point de pareille et se sentait
isolée, différente ; son passé de *demoiselle*, qui subsis-
tait malgré tout, la mettait à part.

Le temps était resté beau sur ce jour des sépara-
tions ; au large seulement une grosse houle lourde
arrivait de l'ouest, annonçant du vent, et de loin on
voyait la mer, qui attendait tout ce monde, briser [1]
dehors.

1. « Briser » au sens d'écumer.

... Autour de Gaud, il y en avait d'autres qui étaient, comme elle, bien jolies et bien touchantes avec leurs yeux pleins de larmes ; il y en avait aussi de distraites et de rieuses, qui n'avaient pas de cœur ou qui pour le moment n'aimaient personne. Des vieilles, qui se sentaient menacées par la mort, pleuraient en quittant leur fils ; des amants s'embrassaient longuement sur les lèvres, et on entendait des matelots gris chanter pour s'égayer, tandis que d'autres montaient à leur bord d'un air sombre, s'en allant comme à un calvaire.

Et il se passait des choses sauvages : des malheureux qui avaient signé leur engagement par surprise, quelque jour dans un cabaret, et qu'on embarquait par force à présent ; leurs propres femmes et des gendarmes les poussaient. D'autres enfin, dont on redoutait la résistance à cause de leur grande force, avaient été enivrés par précaution ; on les apportait sur des civières et, au fond des cales des navires, on les descendait comme des morts.

Gaud s'épouvantait de les voir passer : avec quels compagnons allait-il donc vivre, son Yann ? et puis quelle chose terrible était-ce donc, ce métier d'Islande, pour s'annoncer de cette manière et inspirer à des hommes de telles frayeurs ?...

Pourtant il y avait aussi des marins qui souriaient ; qui sans doute aimaient comme Yann la vie au large et la grande pêche. C'étaient les bons, ceux-là ; ils avaient la mine noble et belle ; s'ils étaient garçons, ils s'en allaient insouciants, jetant un dernier coup d'œil sur les filles ; s'ils étaient mariés, ils embrassaient leurs femmes ou leurs petits avec une tristesse douce et le bon espoir de revenir plus riches. Gaud se sentit un peu rassurée en voyant qu'ils étaient tous ainsi à bord de cette *Léopoldine*, qui avait vraiment un équipage de choix.

Les navires sortaient deux par deux, quatre par quatre, traînés dehors par des remorqueurs. Et alors, dès qu'ils s'ébranlaient, les matelots, découvrant leur tête, entonnaient à pleine voix le cantique de la

Vierge : « Salut, Étoile-de-la-mer ! » Sur le quai, des
mains de femmes s'agitaient en l'air pour de derniers
adieux, et des larmes coulaient sur les mousselines des
coiffes.

Dès que la *Léopoldine* fut partie, Gaud s'achemina
d'un pas rapide vers la maison des Gaos. Une heure et
demie de marche le long de la côte, par les sentiers
familiers de Ploubazlanec, et elle arriva là-bas, tout au
bout des terres, dans sa famille nouvelle.

La *Léopoldine* devait mouiller en grande rade
devant ce Pors-Even, et n'appareiller définitivement
que le soir ; c'était donc là qu'ils s'étaient donné un
dernier rendez-vous. En effet, il revint, dans la yole
de son navire ; il revint pour trois heures lui faire ses
adieux.

À terre, où l'on ne sentait point la houle, c'était
toujours le même beau temps printanier, le même ciel
tranquille. Ils sortirent un moment sur la route, en se
donnant le bras ; cela rappelait leur promenade d'hier,
seulement la nuit ne devait plus les réunir. Ils marchaient sans but, en rebroussant vers Paimpol, et
bientôt se trouvèrent près de leur maison, ramenés là
insensiblement sans y avoir pensé ; ils entrèrent donc
encore une dernier fois chez eux, où la grand-mère
Yvonne fut saisie de les voir reparaître ensemble.

Yann faisait des recommandations à Gaud pour
différentes petites choses qu'il laissait dans leur
armoire ; surtout pour ses beaux habits de noces : les
déplier de temps en temps et les mettre au soleil.
— À bord des navires de guerre les matelots appren-
nent ces soins-là. — Et Gaud souriait de le voir faire
son entendu ; il pouvait être bien sûr pourtant que
tout ce qui était à lui serait conservé et soigné avec
amour.

D'ailleurs, ces préoccupations étaient secondaires
pour eux ; ils en causaient pour causer, pour se
donner le change à eux-mêmes...

Yann raconta qu'à bord de la *Léopoldine*, on venait
de tirer au sort les postes de pêche et que, lui, était
très content d'avoir gagné l'un des meilleurs. Elle se fit

expliquer cela encore, ne sachant presque rien des choses d'Islande :

« Vois-tu, Gaud, dit-il, sur le *plat-bord* [1] de nos navires, il y a des trous qui sont percés à certaines places et que nous appelons *trous de mecques* [2] ; c'est pour y planter des petits supports à rouet dans lesquels nous passons nos lignes. Donc, avant de partir, nous jouons ces trous-là aux dés, ou bien avec des numéros brassés dans le bonnet du mousse. Chacun de nous gagne le sien et, pendant toute la campagne après, l'on n'a plus le droit de planter sa ligne ailleurs, l'on ne change plus. Eh bien, mon poste, à moi, se trouve sur l'arrière du bateau qui est, comme tu dois savoir, l'endroit où l'on prend le plus de poissons ; et puis il touche aux grands haubans où l'on peut toujours attacher un bout de toile, un *cirage*, enfin un petit abri quelconque, pour la figure, contre toutes ces neiges ou ces grêles de là-bas ; cela sert, tu comprends ; on n'a pas la peau si brûlée, pendant les mauvais grains noirs, et les yeux voient plus longtemps clair. »

… Ils se parlaient bas, bas, comme par crainte d'effaroucher les instants qui leur restaient, de faire fuir le temps plus vite. Leur causerie avait le caractère à part de tout ce qui va inexorablement finir ; les plus insignifiantes petites choses qu'ils se disaient semblaient devenir ce jour-là mystérieuses et suprêmes…

À la dernière minute du départ, Yann enleva sa femme entre ses bras et ils se serrèrent l'un contre l'autre sans plus rien dire, dans une longue étreinte silencieuse.

Il s'embarqua, les voiles grises se déployèrent pour se tendre à un vent léger qui se levait dans l'ouest. Lui, qu'elle reconnaissait encore, agita son bonnet d'une manière convenue. Et longtemps elle regarda,

---

1. Le « plat-bord » est la partie la plus haute qui entoure le pont d'un navire.
2. C'est par les « trous de mecques » – sortes de fourches de bois – que le pêcheur imprime aux hameçons le mouvement de va-et-vient qui doit attirer le poisson.

en silhouette sur la mer, s'éloigner son Yann.
— C'était lui encore, cette petite forme humaine
debout, noire sur le bleu cendré des eaux — et déjà
vague, perdue dans cet éloignement où les yeux qui
persistent à fixer se troublent et ne voient plus...

... À mesure que s'en allait cette *Léopoldine*, Gaud,
comme attirée par un aimant, suivait à pied le long
des falaises.

Il lui fallut s'arrêter bientôt, parce que la terre était
finie ; alors elle s'assit, au pied d'une dernière grande
croix, qui est là plantée parmi les ajoncs et les pierres.
Comme c'était un point élevé, la mer vue de là semblait avoir des lointains qui montaient, et on eût dit
que cette *Léopoldine*, en s'éloignant, s'élevait peu à
peu, toute petite sur les pentes de ce cercle immense.
Les eaux avaient de grandes ondulations lentes
— comme les derniers contre-coups de quelque tourmente formidable qui se serait passée ailleurs, derrière
l'horizon ; mais dans le champ profond de la vue, où
Yann était encore, tout demeurait paisible.

Gaud regardait toujours, cherchant à bien fixer
dans sa mémoire la physionomie de ce navire, sa silhouette de voilure et de carène, afin de le reconnaître
de loin, quand elle reviendrait, à cette même place,
l'attendre.

Des levées énormes de houle continuaient d'arriver
de l'ouest, régulièrement l'une après l'autre, sans
arrêt, sans trêve, renouvelant leur effort inutile, se bri-
sant sur les mêmes rochers, déferlant aux mêmes
places pour inonder les mêmes grèves. Et à la longue,
c'était étrange, cette agitation sourde des eaux avec
cette sérénité de l'air et du ciel ; c'était comme si le lit
des mers, trop rempli, voulait déborder et envahir les
plages.

Cependant la *Léopoldine* se faisait de plus en plus
diminuée, lointaine, perdue. Des courants sans doute
l'entraînaient, car les brises de cette soirée étaient faibles et pourtant elle s'éloignait vite. Devenue une
petite tache grise, presque un point, elle allait bientôt
atteindre l'extrême bord du cercle des choses visibles

et entrer dans ces au-delà infinis où l'obscurité commençait à venir.

Quand il fut sept heures du soir, la nuit tombée, le
bateau disparu, Gaud rentra chez elle, en somme assez
courageuse, malgré les larmes qui lui venaient
toujours. Quelle différence, en effet, et quel vide plus
sombre s'il était parti encore comme les deux autres
années, sans même un adieu ! Tandis qu'à présent
tout était changé, adouci ; il était tellement à elle son
Yann, elle se sentait si aimée malgré ce départ, qu'en
s'en revenant toute seule au logis, elle avait au moins
la consolation et l'attente délicieuse de cet *au revoir*
qu'ils s'étaient dit pour l'automne.

# III

L'été passa, triste, chaud, tranquille. Elle, guettant les premières feuilles jaunies, les premiers rassemblements d'hirondelles, la pousse des chrysanthèmes.

Par les paquebots de Reykjavik [1] et par les chasseurs, elle lui écrivit plusieurs fois ; mais on ne sait jamais bien si ces lettres arrivent.

À la fin de juillet, elle en reçut une de lui. Il l'informait qu'il était en bonne santé à la date du 10 courant, que la saison de la pêche s'annonçait excellente et qu'il avait déjà quinze cents poissons pour sa part. D'un bout à l'autre, c'était dit dans le style naïf et calqué sur le modèle uniforme de toutes les lettres de ces Islandais à leur famille. Les hommes élevés comme Yann ignorent absolument la manière d'écrire les mille choses qu'ils pensent, qu'ils sentent ou qu'ils rêvent. Étant plus cultivée que lui, elle sut donc faire la part de cela et lire entre les lignes la tendresse profonde qui n'était pas exprimée. À plusieurs reprises dans le courant de ses quatre pages, il lui donnait le nom d'épouse comme trouvant plaisir à le répéter. Et d'ailleurs, l'adresse seule : *À Madame Marguerite Gaos, maison Moan, en Ploubazlanec,* était déjà une chose qu'elle relisait avec joie. Elle avait encore eu si peu le temps d'être appelée : *Madame Marguerite Gaos !...*

----

1. Reykjavik est la capitale de l'Islande.

# IV

Elle travailla beaucoup pendant ces mois d'été.

Les Paimpolaises, qui d'abord s'étaient méfiées de
son talent d'ouvrière improvisée, disant qu'elle avait
de trop belles mains de demoiselle, avaient vu, au
contraire, qu'elle excellait à leur faire des robes qui
avantageaient la tournure ; alors elle était devenue
presque une couturière en renom.

Ce qu'elle gagnait passait à embellir le logis
— pour son retour. L'armoire, les vieux lits à étagères, étaient réparés, cirés, avec des ferrures luisan-
tes ; elle avait arrangé leur lucarne sur la mer avec une
vitre et des rideaux ; acheté une couverture neuve
pour l'hiver, une table et des chaises.

Tout cela, sans toucher à l'argent que son Yann lui
avait laissé en partant et qu'elle gardait intact, dans
une petite boîte chinoise, pour le lui montrer à son
arrivée.

Pendant les veillées d'été, aux dernières clartés des
jours, assise devant la porte avec la grand-mère
Yvonne, dont la tête et les idées allaient sensiblement
mieux pendant les chaleurs, elle tricotait pour Yann
un beau maillot de pêcheur en laine bleue ; il y avait,
aux bordures du col et des manches, des merveilles de
points compliqués et ajourés ; la grand-mère Yvonne,
qui avait été jadis une habile tricoteuse, s'était rappelé
peu à peu ces procédés de sa jeunesse pour les lui
enseigner. Et c'était un ouvrage qui avait pris beau-

coup de laine, car il fallait un maillot très grand pour
Yann.

Cependant, le soir surtout, on commençait à avoir
conscience de l'accourcissement des jours ; certaines
plantes, qui avaient donné toute leur pousse en juillet,
prenaient déjà un air jaune, mourant, et les scabieuses
violettes refleurissaient au bord des chemins, plus
petites sur de plus longues tiges ; enfin les derniers
jours d'août arrivèrent, et un premier navire islandais
apparut un soir, à la pointe de Pors-Even. La fête du
retour était commencée.

On se porta en masse sur la falaise pour le recevoir ;
— lequel était-ce ?

C'était le *Samuel-Azénide* ; — toujours en avance
celui-là.

« Pour sûr, disait le vieux père d'Yann, la *Léopoldine*
ne va pas tarder ; là-bas, je connais ça, quand un commence à partir, les autres ne tiennent plus en place. »

# V

Ils revenaient, les Islandais. Deux la seconde journée, quatre le surlendemain, et puis douze la semaine suivante. Et, dans le pays, la joie revenait avec eux, et c'était fête chez les épouses, chez les mères : fête aussi dans les cabarets, où les belles filles paimpolaises servent à boire aux pêcheurs.

La *Léopoldine* restait du groupe des retardataires ; il en manquait encore dix. Cela ne pouvait tarder, et Gaud à l'idée que, dans un délai extrême de huit jours qu'elle se donnait pour ne pas avoir de déception, Yann serait là, Gaud était dans une délicieuse ivresse d'attente, tenant le ménage bien en ordre, bien propre et bien net, pour le recevoir.

Tout rangé, il ne lui restait rien à faire, et d'ailleurs elle commençait à n'avoir plus la tête à grand-chose dans son impatience.

Trois des retardataires arrivèrent encore, et puis cinq. Deux seulement manquaient toujours à l'appel.

« Allons, lui disait-on en riant, cette année, c'est la *Léopoldine* ou la *Marie-Jeanne* qui *ramasseront les balais* [1] du retour. »

Et Gaud se mettait à rire, elle aussi, plus animée et plus jolie, dans sa joie de l'attendre.

---

1. « Ramasser les balais », c'est être le dernier.

## VI

Cependant les jours passaient.

Elle continuait de se mettre en toilette, de prendre un air gai, d'aller sur le port causer avec les autres. Elle disait que c'était tout naturel, ce retard. Est-ce que cela ne se voyait pas chaque année ? Oh ! d'abord, de si bons marins, et deux si bons bateaux !

Ensuite, rentrée chez elle, il lui venait le soir de premiers petits frissons d'anxiété, d'angoisse.

Est-ce que vraiment c'était possible, qu'elle eût peur, si tôt ?... Est-ce qu'il y avait de quoi ?...

Et elle s'effrayait, d'avoir déjà peur...

Le 10 du mois de septembre !... Comme les jours s'enfuyaient !

Un matin où il y avait déjà une brume froide sur la terre, un vrai matin d'automne, le soleil levant la trouva assise de très bonne heure sous le porche de la chapelle des naufragés, au lieu où vont prier les veuves — assise, les yeux fixes, les tempes serrées comme dans un anneau de fer.

Depuis deux jours, ces brumes tristes de l'aube avaient commencé, et ce matin-là Gaud s'était réveillée avec une inquiétude plus poignante, à cause de cette impression d'hiver... Qu'avait donc cette journée, cette heure, cette minute, de plus que les précédentes ?... On voit très bien des bateaux retardés de quinze jours, même d'un mois.

Ce matin-là avait bien quelque chose de particulier, sans doute, puisqu'elle était venue pour la première fois s'asseoir sous ce porche de chapelle, et relire les noms des jeunes hommes morts.

En mémoire de
GAOS, Yvon, perdu en mer
aux environs de Norden-Fiord...

...........................................................................................................

Comme un grand frisson, on entendit une rafale de vent se lever de la mer, et en même temps, sur la voûte,

quelque chose s'abattre comme une pluie : les feuilles
mortes !... Il en entra toute une volée sous ce porche ;
les vieux arbres ébouriffés du préau se dépouillaient,
secoués par ce vent du large. — L'hiver qui venait !...

>                          ... perdu en mer
>               aux environs de Norden-Fiord,
>            dans l'ouragan du 4 au 5 août 1880.

..................................................................................

Elle lisait machinalement, et par l'ogive de la porte,
ses yeux cherchaient au loin la mer : ce matin-là, elle
était très vague, sous la brume grise, et une panne
suspendue traînait sur les lointains comme un grand
rideau de deuil.

Encore une rafale, et des feuilles mortes qui
entraient en dansant. Une rafale plus forte, comme si
ce vent d'ouest, qui avait jadis semé ces morts sur la
mer, voulait encore tourmenter jusqu'à ces inscriptions qui rappelaient leurs noms aux vivants.

Gaud regardait, avec une persistance involontaire,
une place vide, sur le mur, qui semblait attendre ; avec
une obsession terrible, elle était poursuivie par l'idée
d'une plaque neuve qu'il faudrait peut-être mettre là,
bientôt, avec un autre nom que, même en esprit, elle
n'osait pas redire dans un pareil lieu.

Elle avait froid, et restait assise sur le banc de
granit, la tête renversée contre la pierre.

>                ... perdu aux environs de Norden-Fiord,
>               dans l'ouragan du 4 au 5 août 1880
>                         à l'âge de 23 ans...
>                       Qu'il repose en paix !

L'Islande lui apparaissait, avec le petit cimetière de
là-bas — l'Islande lointaine, lointaine, éclairée par en
dessous au soleil de minuit... Et tout à coup — toujours
à cette même place vide du mur qui semblait attendre
— elle eut, avec une netteté horrible, la vision de cette
plaque neuve à laquelle elle songeait : une plaque

fraîche, une tête de mort, des os en croix et au milieu, dans un flamboiement, un nom, le nom adoré, *Yann Gaos !...* Alors elle se dressa tout debout, en poussant un cri rauque de la gorge, comme une folle...

Dehors, il y avait toujours sur la terre la brume grise du matin ; et les feuilles mortes continuaient d'entrer en dansant.

Des pas dans le sentier ! — Quelqu'un venait ? — Alors elle se leva, bien droite ; d'un tour de main, rajusta sa coiffe, se composa une figure. Les pas se rapprochaient, on allait entrer. Vite elle prit un air d'être là par hasard, ne voulant pas encore, pour rien au monde, ressembler à une femme de naufragé.

Justement c'était Fante Floury, la femme du second de la *Léopoldine*. Elle comprit tout de suite, celle-ci, ce que Gaud faisait là ; inutile de feindre avec elle. Et d'abord elles restèrent muettes l'une devant l'autre, les deux femmes, épouvantées davantage et s'en voulant de s'être rencontrées dans un même sentiment de ter-reur, presque haineuses.

« Tous ceux de Tréguier et de Saint-Brieuc sont rentrés depuis huit jours », dit enfin Fante, impi-toyable, d'une voix sourde et comme irritée.

Elle apportait un cierge pour faire un vœu.

« Ah ! oui... un vœu... » Gaud n'avait pas encore voulu y songer, à ce moyen des désolées. Mais elle entra dans la chapelle derrière Fante, sans rien dire, et elles s'age-nouillèrent près l'une de l'autre comme deux sœurs.

À la Vierge Étoile-de-la-Mer, elles dirent des prières ardentes, avec toute leur âme. Et puis bientôt on n'entendit plus qu'un bruit de sanglots, et leurs larmes pressées commencèrent à tomber sur la terre...

Elles se relevèrent plus douces, plus confiantes. Fante aida Gaud qui chancelait et, la prenant dans ses bras, l'embrassa.

Ayant essuyé leurs larmes, arrangé leurs cheveux, épousseté le salpêtre et la poussière des dalles sur leur jupon à l'endroit des genoux, elles s'en allèrent sans plus rien se dire, par des chemins différents.

# VIII

Cette fin de septembre ressemblait à un autre été, un peu mélancolique seulement. Il faisait vraiment si beau cette année-là que, sans les feuilles mortes qui tombaient en pluie triste par les chemins, on eût dit le gai mois de juin. Les maris, les fiancés, les amants étaient revenus, et partout c'était la joie d'un second printemps d'amour...

Un jour enfin, l'un des deux navires retardataires d'Islande fut signalé au large. Lequel ?...

Vite, les groupes de femmes s'étaient formés, muets, anxieux, sur la falaise.

Gaud, tremblante et pâlie, était là, à côté du père de son Yann :

« Je crois fort, disait le vieux pêcheur, je crois fort que c'est eux ! Un liston rouge, un hunier à rouleau [1], ça leur ressemble joliment toujours ; qu'en dis-tu, Gaud ma fille ?

« Et pourtant non, reprit-il, avec un découragement soudain ; non, nous nous trompons encore, le bout dehors n'est pas pareil et ils ont un foc d'artimon.

---

1. Le « liston » est une bande peinte au-dessus de la ligne de flottaison ; le « hunier à rouleau », une voile carrée, gréée sur le mât central ; le « bout dehors », une longue pièce de bois à l'avant du bateau, destinée à fixer une voile triangulaire appelée foc. Le « foc d'artimon » est précisément cette voile triangulaire, mais appliquée au mât arrière, dit mât d'artimon.

Allons, pas eux pour cette fois, c'est la *Marie-Jeanne*. Oh ! mais bien sûr, ma fille, ils ne tarderont pas. »

Et chaque jour venait après chaque jour ; et chaque nuit arrivait à son heure, avec une tranquillité inexorable.

Elle continuait de se mettre en toilette, un peu comme une insensée, toujours par peur de ressembler à une autre femme de naufragé, s'exaspérant quand les autres prenaient avec elle un air de compassion et de mystère, détournant les yeux pour ne pas croiser en route de ces regards qui la glaçaient.

Maintenant elle avait pris l'habitude d'aller dès le matin tout au bout des terres, sur la haute falaise de Pors-Even, passant par-derrière la maison paternelle de son Yann, pour n'être pas vue par la mère ni les petites sœurs. Elle s'en allait toute seule à l'extrême pointe de ce pays de Ploubazlanec qui se découpe en corne de renne sur la Manche grise, et s'asseyait là tout le jour au pied d'une croix isolée qui domine les lointains immenses des eaux...

Il y en a ainsi partout, de ces croix de granit, qui se dressent sur les falaises avancées de cette terre des marins, comme pour demander grâce : comme pour apaiser la grande chose mouvante, mystérieuse, qui attire les hommes et ne les rend plus, et garde de préférence les plus vaillants, les plus beaux.

Autour de cette croix de Pors-Even, il y avait les landes éternellement vertes, tapissées d'ajoncs courts. Et, à cette hauteur, l'air de la mer était très pur, ayant à peine l'odeur salée des goémons, mais rempli des senteurs délicieuses de septembre.

On voyait se dessiner très loin, les unes par-dessus les autres, toutes les découpures de la côte, la terre de Bretagne finissait en pointes dentelées qui s'allongeaient sur le tranquille néant des eaux.

Au premier plan, des roches criblaient la mer ; mais au-delà, rien ne troublait plus son poli de miroir ; elle menait un tout petit bruit caressant, léger et immense, qui montait du fond de toutes les baies. Et c'étaient des lointains si calmes, des profondeurs si douces ! Le

grand néant bleu, le tombeau des Gaos, gardait son
mystère impénétrable, tandis que des brises, faibles
comme des souffles, promenaient l'odeur des genêts
ras qui avaient refleuri au dernier soleil d'automne.

À certaines heures régulières, la mer baissait, et des
taches s'élargissaient partout, comme si lentement la
Manche se vidait ; ensuite, avec la même lenteur, les
eaux remontaient et continuaient leur va-et-vient
éternel, sans aucun souci des morts.

Et Gaud, assise au pied de sa croix, restait là, au
milieu de ces tranquillités, regardant toujours, jusqu'à
la nuit tombée, jusqu'à ne plus rien voir.

# IX

Septembre venait de finir. Elle ne prenait plus aucune nourriture, elle ne dormait plus.

À présent, elle restait chez elle, et se tenait accroupie, les mains entre les genoux, la tête renversée et appuyée au mur derrière. À quoi bon se lever, à quoi bon se coucher ? Elle se jetait sur son lit sans retirer sa robe, quand elle était trop épuisée. Autrement elle demeurait là, toujours assise, transie ; ses dents claquaient de froid, dans cette immobilité ; toujours elle avait cette impression d'un cercle de fer lui serrant les tempes ; elle sentait ses joues qui se tiraient, sa bouche était sèche, avec un goût de fièvre, et à certaines heures elle poussait un gémissement rauque du gosier, répété par saccades, longtemps, longtemps, tandis que sa tête se frappait contre le granit du mur.

Ou bien elle l'appelait par son nom, très tendrement, à voix basse, comme s'il eût été là tout près, et lui disait des mots d'amour.

Il lui arrivait de penser à d'autres choses qu'à lui, à de toutes petites choses insignifiantes ; de s'amuser par exemple à regarder l'ombre de la Vierge de faïence et du bénitier s'allonger lentement, à mesure que baissait la lumière, sur la haute boiserie de son lit. Et puis des rappels d'angoisse revenaient plus horribles, et elle recommençait son cri, en battant le mur de sa tête...

Et toutes les heures du jour passaient, l'une après l'autre, et toutes les heures du soir, et toutes celles de la nuit, et toutes celles du matin. Quand elle comptait depuis combien de temps il aurait dû revenir, une terreur plus grande la prenait ; elle ne voulait plus connaître ni les dates, ni les noms des jours.

Pour les naufrages d'Islande, on a des indications ordinairement ; ceux qui reviennent ont vu de loin le drame ; ou bien ils ont trouvé un débris, un cadavre, ils ont quelque indice pour tout deviner. Mais non, de la *Léopoldine* on n'avait rien vu, on ne savait rien. Ceux de la *Marie-Jeanne*, les derniers qui l'avaient aperçue le 2 août, disaient qu'elle avait dû s'en aller pêcher plus loin vers le nord, et après, cela devenait le mystère impénétrable.

Attendre, toujours attendre, sans rien savoir ! Quand viendrait le moment où vraiment elle n'attendrait plus ? Elle ne le savait même pas, et à présent elle avait presque hâte que ce fût bientôt.

Oh ! s'il était mort, au moins qu'on eût la pitié de le lui dire !...

Oh ! le voir, tel qu'il était en ce moment même — lui, ou ce qui restait de lui !... Si seulement la Vierge tant priée, ou quelque autre puissance comme elle, voulait lui faire la grâce, par une sorte de double vue, de le lui montrer, son Yann ! — lui vivant, manœuvrant pour rentrer — ou bien son corps roulé par la mer... pour être fixée au moins ! pour savoir ! ! !...

Quelquefois il lui venait tout à coup le sentiment d'une voile surgissant du bout de l'horizon : la *Léopoldine*, approchant, se hâtant d'arriver ! Alors elle faisait un premier mouvement irréfléchi pour se lever, pour courir regarder le large, voir si c'était vrai...

Elle retombait assise. Hélas ! où était-elle en ce moment, cette *Léopoldine* ? où pouvait-elle bien être ? Là-bas, sans doute, là-bas dans cet effroyable lointain de l'Islande, abandonnée, émiettée, perdue...

Et cela finissait par cette vision obsédante, toujours la même : une épave éventrée et vide, bercée sur une mer silencieuse d'un gris rose ; bercée lentement, lentement, sans bruit, avec une extrême douceur, par ironie, au milieu d'un grand calme d'eaux mortes.

X

Deux heures du matin.

C'était la nuit surtout qu'elle se tenait attentive à tous les pas qui s'approchaient : à la moindre rumeur, au moindre son inaccoutumé, ses tempes vibraient ; à force d'être tendues aux choses du dehors, elles étaient devenues affreusement douloureuses.

Deux heures du matin. Cette nuit-là comme les autres, les mains jointes, et les yeux ouverts dans l'obscurité, elle écoutait le vent faire sur la lande son bruit éternel.

Des pas d'hommes tout à coup, des pas précipités dans le chemin ! À pareille heure, qui pouvait passer ? Elle se dressa, remuée jusqu'au fond de l'âme, son cœur cessant de battre...

On s'arrêtait devant la porte, on montait les petites marches de pierre...

Lui !... Oh ! joie du Ciel, lui ! On avait frappé, est-ce que ce pouvait être un autre !... Elle était debout, pieds nus ; elle, si faible depuis tant de jours, avait sauté lestement comme les chattes, les bras ouverts pour enlacer le bien-aimé. Sans doute la *Léopoldine* était arrivée de nuit, et mouillée en face dans la baie de Pors-Even — et lui, il accourait ; elle arrangeait tout cela dans sa tête avec une vitesse d'éclair. Et maintenant, elle se déchirait les doigts aux clous de la porte, dans sa rage pour retirer ce verrou qui était dur...

............................................................

Ah !... Et puis elle recula lentement, affaissée, la tête retombée sur la poitrine. Son beau rêve de folle était fini. Ce n'était que Fantec, leur voisin... Le temps de bien comprendre que ce n'était que lui, que rien de son Yann n'avait passé dans l'air, elle se sentit replongée comme par degrés dans son même gouffre, jusqu'au fond de son même désespoir affreux.

Il s'excusait, le pauvre Fantec : sa femme, comme on savait, était au plus mal, et à présent, c'était leur enfant qui étouffait dans son berceau, pris d'un mauvais mal de gorge : aussi il était venu lui demander du secours, pendant que lui irait d'une course chercher le médecin à Paimpol.

Qu'est-ce que tout cela lui faisait, à elle ? Devenue sauvage dans sa douleur, elle n'avait plus rien à donner aux peines des autres. Effondrée sur un banc, elle restait devant lui les yeux fixes, comme une morte, sans lui répondre, ni l'écouter ni seulement le regarder. Qu'est-ce que cela lui faisait, les choses que racontait cet homme ?

Lui, comprit tout alors ; il devina pourquoi on lui avait ouvert cette porte si vite, et il eut pitié pour le mal qu'il venait de lui faire.

Il balbutia un pardon :

« C'est vrai, qu'il n'aurait pas dû la déranger... elle !...

— Moi ! répondit Gaud vivement — et pourquoi donc *pas moi*, Fantec ? »

La vie lui était revenue brusquement, car elle ne voulait pas encore être une désespérée aux yeux des autres, elle ne le voulait absolument pas. Et puis, à son tour, elle avait pitié de lui ; elle s'habilla pour le suivre et trouva la force d'aller soigner son petit enfant.

Quand elle revint se jeter sur son lit, à quatre heures, le sommeil la prit un moment parce qu'elle était très fatiguée.

Mais cette minute de joie immense avait laissé dans sa tête une empreinte qui, malgré tout, était persis-

tante ; elle se réveilla bientôt avec une secousse, se
dressant à moitié, au souvenir de quelque chose... Il y
avait eu du nouveau concernant son Yann... Au milieu
de la confusion des idées qui revenaient, vite elle cherchait dans sa tête, elle cherchait ce que c'était...

« Ah ! rien, hélas ! — non, rien que Fantec. »

Et une seconde fois, elle retomba tout au fond de
son même abîme. Non, en réalité, il n'y avait rien de
changé dans son attente morne et sans espérance.

Pourtant, l'avoir senti là si près, c'était comme si
quelque chose émané de lui était revenu flotter alentour ; c'était ce qu'on appelle, au pays breton, un *pressigne* [1] ; et elle écoutait plus attentivement les pas du
dehors, pressentant que quelqu'un allait peut-être
arriver qui parlerait de lui.

En effet, quand il fit jour, le père d'Yann entra. Il
ôta son bonnet, releva ses beaux cheveux blancs, qui
étaient en boucles comme ceux de son fils, et s'assit
près du lit de Gaud.

Il avait le cœur angoissé, lui aussi ; car son Yann,
son beau Yann, était son aîné, son préféré, sa gloire.
Mais il ne désespérait pas, non vraiment, il ne désespérait pas encore. Il se mit à rassurer Gaud d'une
manière très douce : d'abord les derniers rentrés
d'Islande parlaient tous de brumes très épaisses qui
avaient bien pu retarder le navire ; et puis surtout il lui
était venu une idée : une relâche aux îles Feroé [2], qui
sont des îles lointaines situées sur la route et d'où les
lettres mettent très longtemps à venir ; cela lui était
arrivé à lui-même, il y avait une quarantaine d'années,
et sa pauvre défunte mère avait déjà fait dire une
messe pour son âme... Un si beau bateau, la *Léopoldine*, presque neuf, et de si forts marins qu'ils étaient
tous à bord...

La vieille Moan rôdait autour d'eux tout en hochant
la tête ; la détresse de sa petite-fille lui avait presque
rendu de la force et des idées ; elle rangeait le ménage,

1. « Pressigne » = signe prémonitoire.
2. Les îles Feroé sont un archipel danois, situé à 300 km au nord
de l'Écosse.

regardant de temps en temps le petit portrait jauni de
son Sylvestre accroché au granit du mur, avec ses
ancres de marine et sa couronne funéraire en perles
noires ; non, depuis que le métier de mer lui avait pris
son petit-fils, à elle, elle n'y croyait plus, au retour des
marins ; elle ne priait plus la Vierge que par crainte,
du bout de ses pauvres vieilles lèvres, lui gardant une
mauvaise rancune dans le cœur.

Mais Gaud écoutait avidement ces choses conso-
lantes, ses grands yeux cernés regardaient avec une
tendresse profonde ce vieillard qui ressemblait au
bien-aimé ; rien que de l'avoir là, près d'elle, c'était
une protection contre la mort, et elle se sentait plus
rassurée, plus rapprochée de son Yann. Ses larmes
tombaient, silencieuses et plus douces, et elle redisait
en elle-même ses prières ardentes à la Vierge Étoile-
de-la-mer.

Une relâche là-bas, dans ces îles, pour des avaries
peut-être ; c'était une chose possible en effet. Elle se
leva, lissa ses cheveux, fit une sorte de toilette, comme
s'il pouvait revenir. Sans doute tout n'était pas perdu,
puisqu'il ne désespérait pas, lui, son père. Et, pendant
quelques jours, elle se remit encore à attendre.

C'était bien l'automne, l'arrière-automne, les tombées de nuit lugubre où, de bonne heure, tout se faisait noir dans la vieille chaumière, et noir aussi alentour, dans le vieux pays breton.

Les jours eux-mêmes semblaient n'être plus que des
crépuscules ; des nuages immenses, qui passaient lentement, venaient faire tout à coup des obscurités en
plein midi. Le vent bruissait constamment, c'était
comme un son lointain de grandes orgues d'église,
jouant des airs méchants ou désespérés ; d'autres fois,
cela se rapprochait tout près contre la porte, se met-
tant à rugir comme les bêtes.

Elle était devenue pâle, pâle, et se tenait toujours
plus affaissée, comme si la vieillesse l'eût déjà frôlée
de son aile chauve. Très souvent elle touchait les effets
de son Yann, ses beaux habits de noces, les dépliant,
les repliant comme une maniaque — surtout un de

ses maillots en laine bleue qui avait gardé la forme de
son corps ; quand on le jetait doucement sur la table,
il dessinait de lui-même, comme par habitude, les
reliefs de ses épaules et de sa poitrine ; aussi à la fin
elle l'avait posé tout seul sur une étagère de leur
armoire, ne voulant plus le remuer pour qu'il gardât
plus longtemps cette empreinte.

Chaque soir, des brumes froides montaient de la
terre ; alors elle regardait par sa fenêtre la lande triste,
où des petits panaches de fumée blanche commençaient à sortir çà et là des chaumières des autres : là
partout les hommes étaient revenus, oiseaux voya-
geurs ramenés par le froid. Et, devant beaucoup de
ces feux, les veillées devaient être douces ; car le
renouveau d'amour était commencé avec l'hiver dans
tout ce pays des Islandais...

Cramponnée à l'idée de ces îles où il avait pu relâ-
cher, ayant repris une sorte d'espoir, elle s'était remise
à l'attendre...

..................................................................

# XI

Il ne revint jamais.

Une nuit d'août, là-bas, au large de la sombre Islande, au milieu d'un grand bruit de fureur, avaient été célébrées ses noces avec la mer.

Avec la mer, qui autrefois avait été aussi sa nourrice ; c'était elle qui l'avait bercé, qui l'avait fait adolescent large et fort — et ensuite elle l'avait repris, dans sa virilité superbe, pour elle seule. Un profond mystère avait enveloppé ces noces monstrueuses. Tout le temps, des voiles obscurs s'étaient agités au-dessus, des rideaux mouvants et tourmentés, tendus pour cacher la fête ; et la fiancée donnait de la voix, faisait toujours son plus grand bruit horrible pour étouffer les cris. — Lui, se souvenant de Gaud, sa femme de chair, s'était défendu, dans une lutte de géant, contre cette épousée de tombeau. Jusqu'au moment où il s'était abandonné, les bras ouverts pour la recevoir, avec un grand cri profond comme un taureau qui râle, la bouche déjà emplie d'eau ; les bras ouverts, étendus et raidis pour jamais.

Et à ses noces, ils y étaient tous, ceux qu'il avait conviés jadis. Tous, excepté Sylvestre, qui, lui, s'en était allé dormir dans des jardins enchantés, — très loin, de l'autre côté de la Terre...

## FIN

# BIBLIOGRAPHIE

*Le Roman.*

Le manuscrit de *Pêcheur d'Islande,* vendu à l'Hôtel Drouot le 12 novembre 1964, appartient à un collectionneur. Il n'a pas encore fait l'objet d'une analyse minutieuse.

La publication préoriginale, comme c'était la coutume au dix-neuvième siècle, a eu lieu en revue, très précisément dans *La Nouvelle Revue* de Juliette Adam, en cinq livraisons, du 1er avril au 30 mai 1886.

L'édition originale en volume, chez Calmann-Lévy, date de juin 1886. Elle a été suivie de très nombreuses rééditions au fil des années. Certaines ont été curieusement expurgées (on a ainsi supprimé le récit de la nuit de noces) afin que le livre représente le « type parfait du volume d'étrennes », selon la formule même de Calmann-Lévy en 1893 !

La dernière édition de *Pêcheur d'Islande* parue du vivant de Pierre Loti date de 1923. Nous en reproduisons le texte où, à la différence d'éditions antérieures, les cinq parties sont assorties de chapitres numérotés.

*Ouvrages sur Pierre Loti.*

BARTHOU, Louis : Pêcheur d'Islande *de Pierre Loti : étude et analyse,* Mellottée, 1929.

BLANCH, Lesley : *Pierre Loti,* Seghers, 1986.
    — *Pierre Loti, Portrait of an Escarpist,* Londres, Collins, 1983 (traduit par Jean Lambert) ; *Pierre Loti,* Paris, Seghers, 1986.

BRODIN, Pierre : *Loti,* Montréal, Parizeau, 1947.

BUISINE, Alain : *Tombeau de Loti,* Aux Amateurs de livres, 1988.

EKSTRÖM, Per G. : *Évasions et désespérances de Pierre Loti,* Göteborg, Gumperts Förlag, 1953.

FARRÈRE, Claude : *Loti,* Flammarion, 1950.

GENET, Christian et HERVÉ, Daniel : *Pierre Loti l'enchanteur,* Gémozac, Ch. Genet, 1988.

LEFÈVRE, Raymonde : *La Vie inquiète de Pierre Loti,* Société française d'éditions littéraires et techniques, 1934.

LERNER, Michael G. : *Pierre Loti,* New York, Twayne Publishers, 1974.

LE TARGAT, François : *À la recherche de Pierre Loti,* Seghers, 1974.

MILLWARD, Keith G. : *L'Œuvre de Pierre Loti et l'esprit « fin-de-siècle »,* Nizet, 1955.

QUELLA-VILLÉGER, Alain : *Pierre Loti l'incompris,* Presses de la Renaissance, 1986.

SERBAN, Nicolas : *Pierre Loti, sa vie et son œuvre,* H. Champion, 1920.

TRAZ, Robert de : *Pierre Loti,* Hachette, 1948.

WAKE, Clive : *The Novels of Pierre Loti,* Paris-La Haye, Mouton, 1974.

*Articles.*

BALCOU, Jean : « La vision bretonne de Loti », *Revue Pierre Loti,* juillet-septembre 1987.

BARTHES, Roland : « Pierre Loti : Aziyadé », in *Nouveaux Essais critiques,* Le Seuil, 1972.

BORGEAUD, Henri : « Les éditions expurgées de *Pêcheur d'Islande* », *Cahiers Pierre Loti,* nᵒ 35, 1961.

BUISINE, Alain : « Le décoloriste : voyage et écriture chez Pierre Loti », *Revue Pierre Loti,* octobre-décembre 1984.

CHAPPE, François : « Réalité sociale et humaine de Paimpol à travers *Pêcheur d'Islande* », *Revue Pierre Loti,* juillet-septembre 1986.

DUBOIS, Jacques : « Pierre Loti aujourd'hui », *Revue des sciences humaines,* janvier-mars 1965.

DUPONT, Jacques : « Paysage de Loti », *Commentaire,* été 1981.

FLOTTES, Pierre : « Le Drame intérieur de Pierre Loti », *Le Courrier littéraire,* 1937 (Réédition en 1946).

LERNER, Michael G. : « Pierre Loti homme de son époque », *Revue Pierre Loti,* avril-mai 1984.

QUEFFÉLEC, Henri : « Loti et la mer », *Cahiers Pierre Loti,* décembre 1973.

SCEPI, Henri : « Rhétorique de l'incertain dans *Pêcheur d'Islande* », *Revue Pierre Loti,* juillet-septembre 1986.

TRAHARD, Pierre : « Jugement sur Pierre Loti », *Cahiers Pierre Loti,* décembre 1972.

VERCIER, Bruno : « Le mythe du premier souvenir : Pierre

Loti, Michel Leiris », *Revue d'histoire littéraire de la France,* novembre-décembre 1975.

*Éditions récentes de* Pêcheur d'Islande

BUISINE, Alain : Édition préfacée, commentée et annotée de *Pêcheur d'Islande,* Librairie générale française, Le Livre de poche, 1988.

DECOIN, Didier : Préface à *Pêcheur d'Islande,* France-Loisirs, 1979.

DUPONT, Jacques : Édition préfacée et annotée de *Pêcheur d'Islande,* Gallimard, collection Folio, 1988.

HÉLIAS, Pierre-Jakez : Préface à *Pêcheur d'Islande,* Presses-Pocket, 1986.

# CHRONOLOGIE

*La jeunesse et, déjà, la mer (1850-1870).*

**1850 (14 janvier)** : Naissance à Rochefort-sur-Mer de Julien Viaud qui prendra plus tard le nom de plume de Pierre Loti.

Son père est receveur municipal à Rochefort.

Julien a une sœur (née en 1831) et un frère, Gustave (né en 1838), qui, chirurgien de marine, s'embarquera dès 1858 pour Tahiti.

**1863 (10 mars)** : Gustave Viaud meurt à vingt-cinq ans sur le navire l'*Alphée* qui le ramène, malade, de Saigon. Son corps est immergé dans le golfe de Bengale. Très attaché à son frère aîné, Julien Viaud entrera à son tour dans la marine.

**1866 (octobre)** : Julien Viaud quitte Rochefort pour Paris où, élève du Lycée Napoléon (devenu ensuite le Lycée Henri IV), il prépare le concours d'entrée à l'École navale.

**1867** : Il est reçu, 40ᵉ sur 60, à l'École navale de Brest.

**1869** : Embarque sur le vaisseau-école, le *Jean-Bart*, pour un voyage d'un an en Méditerranée et dans l'Atlantique.

**1870** : Mort de son père.

*Premiers voyages, premiers romans (1871-1881).*

**1871** : Voyage sur le *Vaudreuil* jusqu'en Patagonie.

**1872** : Séjour à l'île de Pâques, puis à Tahiti où une halte de deux mois lui inspirera son premier roman, *Le Mariage de Loti*, publié huit ans plus tard. Il décide de son futur nom d'auteur, Pierre Loti, par référence, semble-t-il, à une fleur tahitienne.

1873 : Affecté au Sénégal, Loti séjourne à Dakar et à Saint-Louis, qui lui inspireront *Le Roman d'un spahi*.

1876 : Premier séjour à Constantinople, en Turquie, où il retournera souvent, à la recherche certainement de son premier amour pour une jeune fille prénommée Hakidjé qui deviendra Aziyadé dans un futur roman.

1877 : Loti commence à aménager, dans sa maison de Rochefort où il revient entre chaque voyage, une salle turque, à laquelle il adjoindra bientôt une salle Renaissance, puis une mosquée, un minaret, etc.

1878 : Découverte de la Bretagne en compagnie de Pierre Le Cor, matelot en poste à Lorient.

1879 : *Aziyadé. Stamboul 1876-1877* paraît en janvier, sans nom d'auteur, et sans succès.

1880 : Publication, en mars, du *Mariage de Loti*, « par l'auteur d'*Aziyadé* ». Le succès de ce livre lui vaut de rencontrer Juliette Adam, influente directrice de *La Nouvelle Revue*. Il se lie par ailleurs d'amitié avec Alphonse Daudet.

1881 : Publication du *Roman d'un spahi*, sous la signature enfin assumée de Pierre Loti. Il est promu lieutenant de vaisseau.

*Les œuvres de la maturité (1882-1890).*

1882 : Loti travaille à la rédaction de *Mon frère Yves*, qui paraîtra en octobre 1883.

1883 : Embarque à bord de l'*Atalante* et participe à la campagne du Tonkin, décidée par Jules Ferry. Il envoie au *Figaro* des articles sans complaisance sur cette campagne, qui entraînent son rappel en France et son affectation à Rochefort jusqu'en 1885.

1885 : Embarque pour la Chine et le Japon. De son séjour à Nagasaki, naîtra son roman, *Madame Chrysanthème*.

1886 : De nouveau affecté à Rochefort, il publie *Pêcheur d'Islande* qui rencontre un succès considérable.
   Le 20 octobre, il épouse Jeanne-Amélie Franc de Ferrière, âgée de vingt-sept ans. Voyage de noces en Espagne.

1887 : Publication de *Madame Chrysanthème*.
   Voyage en Roumanie où la reine Carmen Sylva a entrepris de traduire *Pêcheur d'Islande* qu'elle admire.

1889 : *Japoneries d'automne.*
    Naissance de son fils Samuel.
    Voyage au Maroc.

1890 : Nouvelle visite à Bucarest, en mai, peu avant l'exil de
    la reine à la demande de laquelle il a écrit *Le Roman d'un
    enfant,* qui paraît ce même mois.

*Les honneurs, et les voyages toujours (1891-1909).*

1891 : Élu à l'Académie française contre Émile Zola, Pierre
    Loti est le plus jeune Immortel de France.
    Il rend visite à la reine de Roumanie exilée à Venise
    (*L'Exilée* s'en fera l'écho en 1893).

1892 : S'attaque au Naturalisme dans son discours de récep-
    tion à l'Académie, le 7 avril.

1894 : Voyage en Terre sainte, qui lui inspirera une trilogie
    publiée l'année suivante : *Le Désert, Jérusalem, La Galilée.*
    Loti fait la connaissance de Crucita Gainza (1867-
    1949), danseuse basque espagnole dont il aura trois
    enfants illégitimes.

1897 : Publication de *Ramuntcho,* commencé en 1893.

1899 : Mission en Inde et en Perse.

1900-1902 : Voyage en Extrême-Orient et séjour en Chine
    qui lui inspirera *Les Derniers Jours de Pékin,* publié en
    1902.

1906 : Publication des *Désenchantées,* roman où il défend le
    désir d'émancipation de la femme turque. Le succès est
    très grand.

1907 : En congé sans solde pour six mois, Loti se rend en
    Égypte. Ce voyage sera évoqué dans *La Mort de Philae,*
    publié en 1909.

*Une retraite active (1910-1923).*

1910 : Loti est admis à la retraite.
    Séjour à Istanbul.

1912 : Voyage à New York. Défend fougueusement la Tur-
    quie lors du conflit des Balkans.

1913 : Est triomphalement accueilli en Turquie, en août, à
    l'invitation du gouvernement.

1914 : Se porte volontaire pour reprendre du service.

**1915** : Participe à des négociations secrètes avec la Turquie. S'étant rendu plusieurs fois sur le front, il publie des reportages de guerre, prélude à quelques livres dénonciateurs (*La Hyène enragée*, 1916 ; *Quelques aspects du vertige mondial*, 1917 ; *L'Horreur allemande*, 1918).

**1919** : Publication de *Prime jeunesse*.

**1920** : *La Mort de notre chère France en Orient* est un plaidoyer pour la Turquie, qui connaît un grand retentissement.

**1921** : Atteint d'hémiplégie, il travaille à des livres en collaboration avec son fils Samuel, notamment *Un jeune officier pauvre*, qui paraîtra en 1923.

**1923** : Loti meurt le 10 juin à Hendaye. Il a droit à des funérailles nationales le 16 juin.

Le *Journal intime* que Pierre Loti a tenu pendant quelque quarante-cinq ans est publié par son fils à partir de 1925.

# TABLE

**GF Flammarion**

03/07/20637-VII-2003 – Impr. MAURY Eurolivres, 45300 Manchecourt.
N° d'édition FG089805. – Mai 1996. – Printed in France.